인류 달착륙 50주년 특별판

플라이 투 더 문

Flying to the Moon

쥘 베른은 무중력을 이렇게 상상했다.
그러고 보니 달에 갈 때 나는 개를 데리고 가지 못했다. © Bettmann, 게티이미지

여섯 살 무렵
뉴욕 거버너스 섬에서
나의 개 펀치와 함께.

에드워드 공군 기지의
테스트 파일럿 학교에서
내가 조종하던
F-104기와 함께.

록히드 T-33기는
슈팅스타를 2인승으로
개조한 형태로
내가 처음 조종한
제트기다.
© 미 공군,
Alejandro Pena

내가 그린 F-86 세이버. 미국 최초의 아음속 제트엔진 전투기이자
직접 조종하면서 가장 즐거웠던 비행기다.

짧은 날개에 강력한 엔진을 장착한 F-104 스타파이터는
마하 2의 속도로 비행 가능한 최초의 전투기였다. © 미 공군

내가 열한 살 때 처음 조종한 비행기는 이런 모습이었다. © 미 해군

파나마의 정글 생존
훈련소에서. © NASA

애리조나 운석 구덩이에서
암석 형태를 조사하면서.

사막에 임시방편으로 지은
숙소 옆에서 훈련 동료였던
찰리 바셋과 함께. © NASA

'뺑뺑이'의 모습. 오후를 기분 나쁘게 보내는 데 '뺑뺑이'만 한 것은 없었다.
© 아트 멜리어, NASA

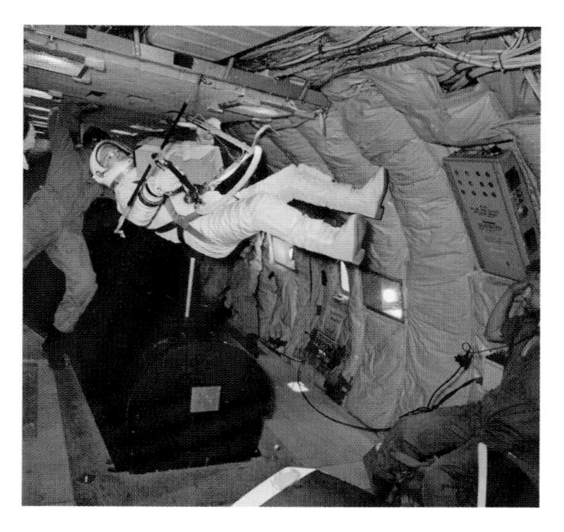

무중력 적응 훈련 중
비행기 내에서 몇 초간
경험하는 무중력 상태.
© NASA

우주복을 입고
모든 준비를 끝낸 뒤
제미니 10호의 발사를
기다리는 모습. © NASA

존 영(오른쪽)과
내가 제미니 10호
조종석에 앉아있다.
해치를 닫으면 비좁을
만큼 작은 공간이다.
© NASA

제미니 10호가 발사되는 순간. 요란하게 요동치며 날아올랐다! © NASA

제미니 10호에서 처음 본 아제나 위성의 모습.

더 가까이에서 찍은 아제나 위성.

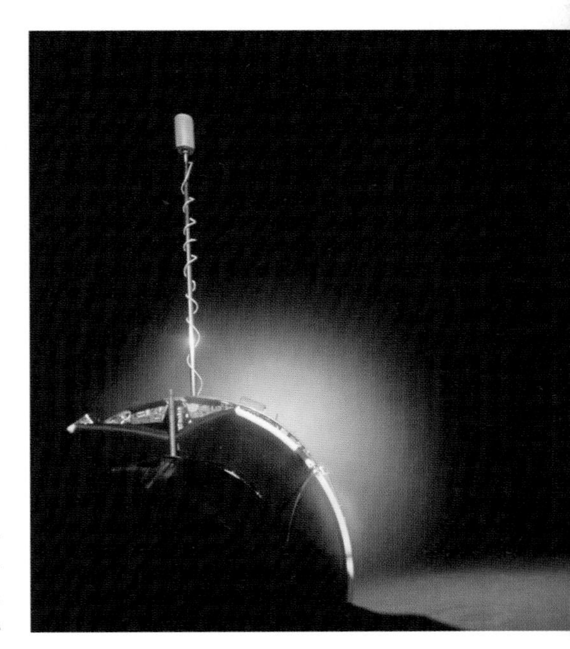

우리가 아제나의 엔진을
점화시키자 아제나 로켓은
기다렸다는 듯 위로 발진했다.
© NASA

1969년 1월 10일에 촬영한 사진으로
그날은 아폴로 11호의 탑승자가 발표된 다음 날이었다.
왼쪽부터 달 착륙선 조종사 버즈 올드린, 선장 닐 암스트롱,
활짝 웃고 있는 사령선 조종사 마이클 콜린스.

아폴로 11호 발사 전, 맡은 임무에 관한 걱정이 컸다.

발사대에서 바라본 아폴로 11호 발사 장면.

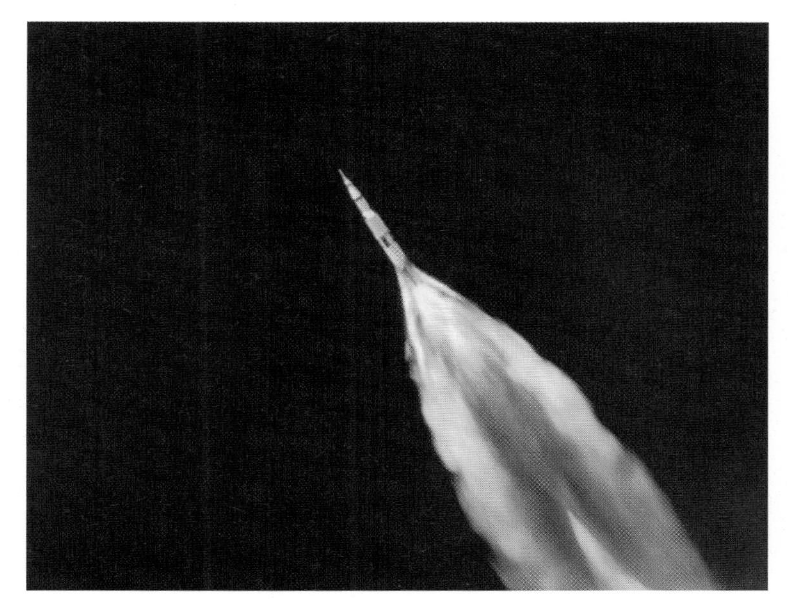

우주로 날아가는 우리의 모습. 공군 EC-135기에서 찍었다.

새턴 로켓 꼭대기에 웅크린 달 착륙선 이글호의 모습.

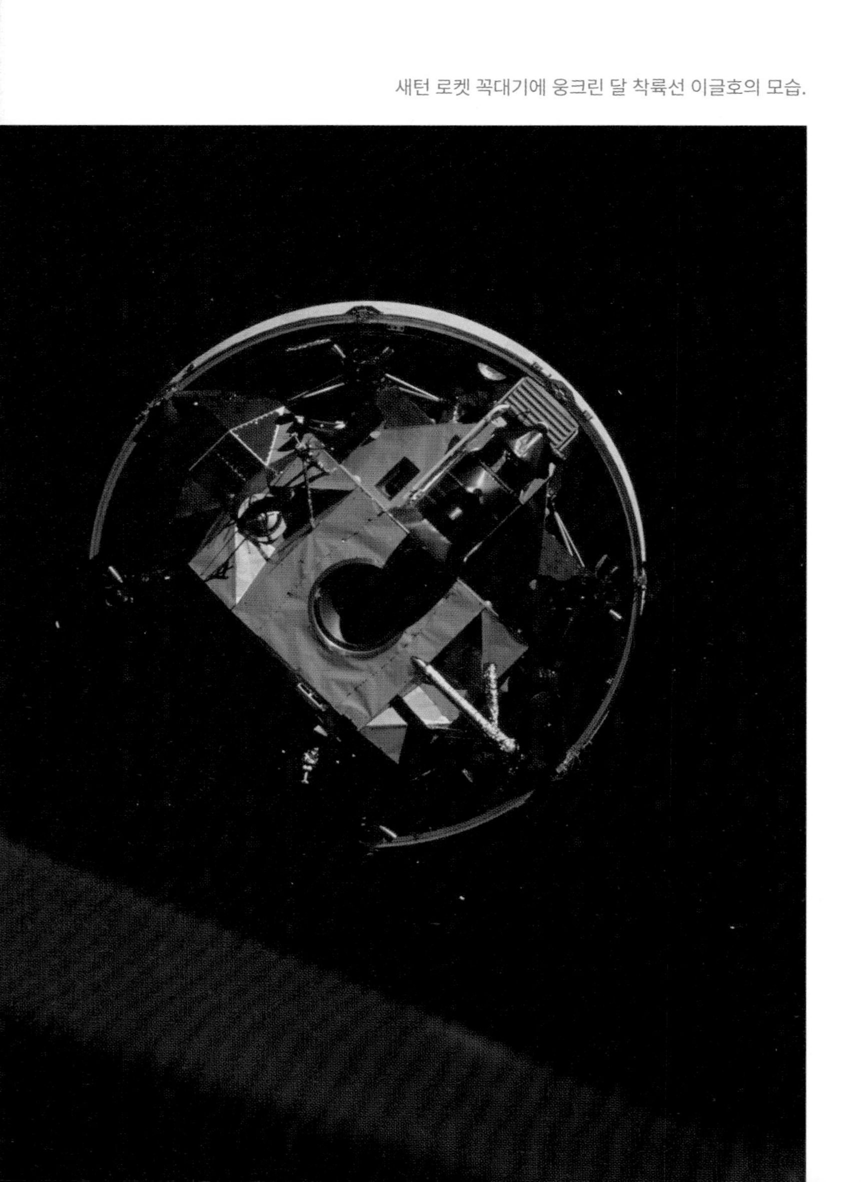

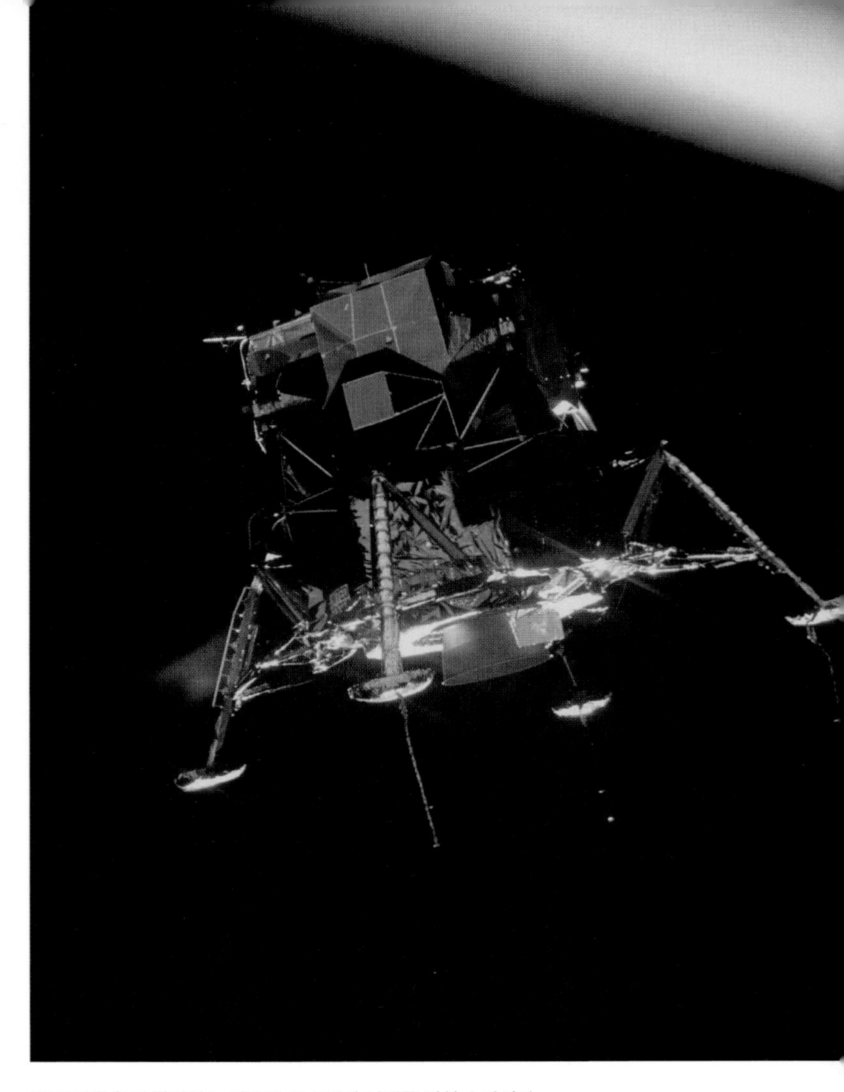

달 표면을 향해 하강하는 이글호. 독수리가 날개를 펼친 순간이다.

닐 암스트롱이 버즈 올드린을 찍은 유명한 사진.
(버즈의 헬멧 바이저에 비친 닐의 모습이 보이시는지?)

달 표면에 성조기를 꽂은 풍경은 낯설면서도 아름다웠다.

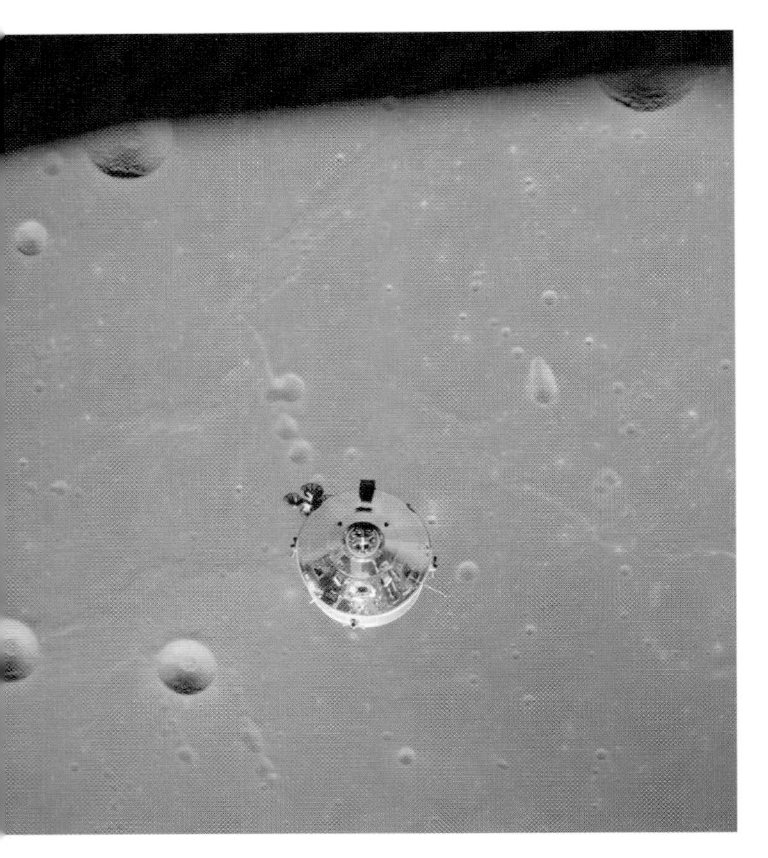

이글호에서 바라본 사령선 컬럼비아호.
8일간의 여정 동안 내가 머무른 곳이기도 하다.

내 인생에서 가장 반가웠던 장면.
닐과 버즈가 달 표면에서 컬럼비아호로 귀환하는 순간을 담은 사진이다.

우주선 밖으로 나온 우리는 해병 잠수부들이 보는 가운데 고무복을 입었다.

여행은 끝났다.

무사히 귀환한 세 명의 우주인이 이동 격리시설 안에서
닉슨 대통령과 농담을 주고받는 모습.

플라이 투 더 문

초판 1쇄 펴냄 2008년 10월 1일
16쇄 펴냄 2018년 12월 3일
개정판 1쇄 펴냄 2019년 7월 31일
6쇄 펴냄 2023년 3월 3일

지은이 마이클 콜린스
옮긴이 최상구 김인경

펴낸이 고영은 박미숙
펴낸곳 뜨인돌출판(주) | 출판등록 1994.10.11.(제406-251002011000185호)
주소 10881 경기도 파주시 회동길 337-9
홈페이지 www.ddstone.com | 블로그 blog.naver.com/ddstone1994
페이스북 www.facebook.com/ddstone1994 | 인스타그램 @ddstone_books
대표전화 02-337-5252 | 팩스 031-947-5868

ISBN 978-89-5807-722-0 03440

아폴로 11호 사령선 조종사 마이클 콜린스 지음
최상구·김인경 옮김

뜨인돌

차례

들어가는 글 _ 우주 비행사 스콧 켈리

어린 시절을 추억할 때면 내가 여섯 살이었던 여름의 기억이 떠오른다. 그날 밤 부모님은 세상모르고 잠든 나와 쌍둥이 형 마크를 깨워서 거실로 데리고 갔다. 우리는 소파에 앉아 TV를 봤다. 화면에서는 모양이 흐릿한 뭔가가 검정과 흰색이 섞인 배경 속을 껑충대며 돌아다니고 있었다. 부모님은 그것이 닐 암스트롱이라는 사람이며 달 표면을 걷는 중이라고 설명해주었다. 우리는 TV 앞에 딱 붙어 앉아서 닐 암스트롱과 버즈 올드린이 미국 국기를 달에 꽂고 인사하는 모습을 봤다. 두 사람은 달 표면에서 임무를 수행했다. 그동안 다른 한 명의 우주 비행사는 두 사람 위에서 달의 궤도를 돌고 있었다. 사령선 조종사 마이클 콜린스는 자신을 포함한 우주 비행사 세 사람을 태우고 지구로 돌아올 우주선 안에 홀로 머무르는 중이었다. 당시 나는 인간이 다른 천체의 표면을 걷고 있다는 사실뿐만 아니라 사령선이 무슨 역할을 하는지도 이해하지 못했다. 게다가 우리가 얘기하고 있던 달이 내 침실 창문 밖으로 보이는 달과 같은 것일 리 없다고 생각했다.

잔뜩 흥분했던 그날 밤으로부터 35년이 흐른 뒤, 나는 2년에 한 번 현역과 퇴역 우주 비행사들이 모두 모이는 만찬 행사에서 마이클 콜린스의 옆자리에 앉았다. 그는 나를 따뜻하게 반겨주었고 나 역시 만나서 정말 기쁘다는 말을 전했다. 내가 그를 콜린스 소령님이라고 부르자 그가 이렇게 말했다.

"그냥 마이크라고 불러요."

마이크는 나이보다 훨씬 젊어 보였다. 그와 이야기하면서 나는 수십 살 차이 나는 은퇴한 영웅이 아닌 또래와 이야기하는 기분이 들었다. 마이크는 밝고 활기찼으며 경험한 일을 세세하게 기억했고 자신의 흠이나 실수를 농담으로 삼을 줄 알았다. 나는 이내 마이크를 좋아하게 되었다.

마이크에게 아폴로 11호에 관해 기억에 남는 일이 무엇인지 물었더니 닐과 버즈가 달에서 이륙하지 못할 경우에 대해 여러 가지로 고민했던 일이라고 대답했다. 사실 달 착륙선은 완벽한 테스트를 마치지 못했기 때문에 그런 사고가 일어날 가능성이 컸다. 마이크가 달에서 홀로 귀환한다면 그 사실은 오롯이 그의 마음에 짐으로 남아 동료들을 버리고 돌아온 사람으로 평생을 보내야 할 터였다. 마이크는 달 표면을 걷지 못한 데 대한 후회는 없다고 했다. 그는 자신의 역할이 중요하다는 사실을 알았고 자신의 임무를 자랑스러워했다.

후에 나는 마이크가 아폴로 11호에 탑승해 수행한 역할을 되돌아볼 기회를 얻었다. 닐 암스트롱의 내향적인 성격은 꽤 유명했다. 그는 언론과 사람들의 관심을 피하려 했고 2012년 세상을 떠날 때까지 대중 앞에 거의 모습을 드러내지 않았다. 버즈 올드린은 전혀 달랐는데, 그는 우주에서 경험한 일과 우주 비행의 미래에 관해 이야기할 기회를 적극적으로 찾았다. 마이크는 두 사람 사이의 완벽한 균형점에 자리 잡고 있었다. 그는 암스트롱보다 상냥하고 외향적이면서 올드린보다는 훨씬 침착하고 내향적이었다. 마이크는 달 표면을 걷지 않았고(그 뒤로 분명 기회가 있었지만 마이크는 다른 사람에게 그 기회를 양보했다), 우표에도 그의 사진이 실리지 않았다. 하지만 미국 역사상 가장 멋진 순간, 마이크가 수행한 역할은 닐 암스트롱이나 버즈 올드린 못지않게 중요했고 그가 사령선을 조종하지 않았다면 달 착륙 또한 불가능했을 것이다. 마이클 콜린스는 다방면에서 아폴로 11호의 역사적인 임무를 함께 수행했다.

우리 세대는 아폴로 11호가 이뤄낸 업적을 지켜보면서 변화했다. 달 착륙에 힘입어 과학 기술이 눈부시게 발전했을 뿐만 아니라 우주선에 탔던 세 사람의 용기와 성취 덕분에 온 국민이 자부심을 느꼈다. 나의 부모 세대와 그보다 앞선 모든 세대에게 있어 가장 위대한 성취는 국가가 치른 전쟁이었다. 하지만 1969년의 그 밤을 계기로 미국이 이룬 가장 위대한 업적은 "모든 인류를 위해" 수행한 과학 공학 프로젝트가 되었다. 이 일로 미국의 상황은 완전히 바뀌었고 모두 함께 이룰 수 있는 일의 경계 또한 넓어졌다.

지난 우주 비행사 만찬 행사에서 나는 신참 우주 비행사 후보생들을 만났다. 모두가 마이클 콜린스의 달 착륙 임무 이후에 태어난 이들이었다. 가장 어린 후보생은 달에 착륙한 해로부터 19년이 지난 1988년에 태어났다고 했다. 그전에는 불가능하다고 생각되던 일을 마이크와 동료 우주 비행사들이 해낸 뒤 50년이라는 세월이 흘렀다. 그 사실을 떠올리면 화성 탐사라는 대담한 약속이 과연 언제 실현될지 기대된다. 만찬에 함께했던 젊은 우주 비행사들은 달과 그 너머의 우주로 나갈 준비를 하고 있을 것이다. 이제 그들은 마이클 콜린스와 그 이전의 우주 비행사들이 지펴놓은 불을 옮기는 일을 과감하게 수행할 것이다.

스콧 켈리 Scott Kelly

미국의 우주 비행사로 2015년 소유즈-TMA-16M 우주선을 타고 국제우주정거장에 도착했다. 그는 중력이 거의 없고 우주 방사선이 많은 우주 공간에 장시간 노출될 경우 신체에 어떤 변화가 생기는지에 대해 데이터를 수집하는 연구에 투입되었다. 340일 동안 우주에 머물다 지구로 귀환한 스콧 켈리와 같은 기간 지구에서 지낸 그의 일란성 쌍둥이 형제 마크 켈리를 비교한 결과가 2019년 「사이언스」지에 게재되었다.

1969년 달에 처음 착륙한 뒤, 나는 다시 멋진 모험을 시작했다. 닐 암스트롱과 버즈 올드린과 함께 세계를 돌며 24개국을 방문한 것이다. 우리가 "인류의 평화를 위해" 달에 다녀왔기 때문에 친구처럼 환대받으리라 예상했고 실제로 그랬다. 사실 나는 사람들이 "결국 당신네 미국인들이 해냈네요"라고 말할 거라고 예상했다. 하지만 우리가 방문한 모든 곳에서는 이렇게 말했다. "우리가 해냈어요!" 인간이 중력을 뚫고 우주의 다른 공간을 걸었다는 사실에 세상 모든 사람들이 기뻐했다. 모두가 우리의 모험에 함께했다고 느꼈고 나는 사람들이 너그럽고 편견이 없으며 모두 한마음이라는 데 놀랐다.

달에서 돌아오자 "이제 그 일을 끝냈으니 훨씬 중요한 다른 일을 시작합시다. 지구상에 수많은 문제가 쌓여있는데 왜 돈을 모두 우주에 쓰려는 거죠?"라고 말하는 사람들도 있었다. 나도 그 의견에 일부 동의한다. 우리가 살고 있는 지구를 돌보기 위해 반드시 해야 할 일이 있다. 저 멀리 떨어진 달에서 우리의 아름다운 지구를 바라보며 나는 이곳이 얼마나 소중한지 새삼 느꼈다. 그래서 아폴로 11호의 귀환 이후 지구를 보호해야 한다는 사실을 말과 글로 전해야겠다고 마음먹었다.

오늘날, 미국 연방정부 예산 1%의 절반 정도의 금액이 나사(NASA, 미항공우주국)에 쓰이고 있다. 우리가 내는 세금의 99.5%가 국가와 지구의 문제를 해결하기 위해 쓰이는 셈이다. 나는 100%가 아니라 99.5%라는 데 감사한다. 국가가 계속 나사를 지원하고 있다는 것은 대단한 일이다. 앞으로 인류가 더 먼 우주를 탐험하면서 1969년 전 세계가 함께 경험했던 긍정적인 마음과 협동 정신과 유대감을 드높이길 나는 원한다. 탐험은 계속되어야 한다. 출항(outward-bound)이라는 단어는 배가 항해를 나서는 모습을 묘사하는 말로, 나에게는 인류 문명의 발전을 가장 잘 요약해주는 단어이기도 하다. 밤하늘을 올려다보며 경이감을 나누다가 우리가 실제로 지구를 떠나서 먼 우주를 향해 '출항'할 수 있다는 사실을 깨닫고, 달과 화성과 그 너머의 행성에 가서 직접 보고, 느끼고, 이해하는 계획까지 이어졌다.

나는 우리 조상들도 알고 있었으리라 생각한다. 그들은 방랑자였다. 뗏목을 타던 폴리네시아인들, 낙타를 타던 유목민들, 맨발로 걸어 다니던 아프리카의 원주민들처럼 우리 인간은 갈 수 있는 곳이라면 어디로든 떠났다. 우리는 깊은 해저 밑바닥을 조사하고 지구 밖의 달을 만졌다.

최근 나사는 다시 달에 가려는 계획에 착수했다. 이번에는 그곳에 거주하기 위해서다. 달은 지구 밖에서 운영하기에 적합한 제조 산업의 중심지로 주목받는다. 달의 얼음을 이용해 수소와 산소를 공급할 수 있고 그런 자원을 활용해 화성으로 가는 로켓을 쏘아 올릴 수도 있다. 화성 너머 유로파(목성의 위성)와 엔켈라두스(토성의 위성) 같은 천체는 표면의 바다 때문에 특별한 관심을 끈다.

나는 화성에 가기엔 너무 나이가 들었고, 그 점은 무척 안타깝다. 하지만 지금도 나는 내가 매우, 매우, 매우 운이 좋다고 생각한다. 나는 위아래로 날개가 달린 최초의 비행기가 하늘을 날고 우주를 배경으로 펼쳐지는 모험극의 주인공 벅 로저스가 인기를 얻던 시대에 태어나 초기 제트기 모델로 항공기 조종법을 배웠다. 그리고 달로 로켓을 보내는 시대가 오면서 인생의 정점을 찍었다. 좀처럼 누리기 힘든 경험이다.

하지만 요즘 같은 시대에서 성장한다는 것은 훨씬 더 흥미롭다. 지금 우리는 1969년 당시보다 미래의 가능성을 훨씬 구체적으로 볼 수 있다. 내가 달의 해라고 부르는 그때는 낙관주의와 활력과 자부심이 넘쳤다. 나는 오늘날의 젊은이들이 1969년의 정신을 이어받길 소망한다. 또한 그 정신을 바탕으로 미래의 우주여행을 실행에 옮기길 원한다. 출항하라!

1969년 7월 20일

1969년 7월 20일 이른 아침, 나와 닐 암스트롱 그리고 버즈 올드린 세 명의 우주 조종사가 탄 컬럼비아호는 달 주위를 선회하고 있었다. 짧은 토막 잠에서 방금 깨어난 우리는 각설탕 모양으로 압축된 딱딱한 베이컨을 씹으며 플라스틱 큐브에 든 다 식은 커피를 빨아 마시던 중이었다. 세 조종사는 초라한 아침식사를 하면서 텍사스의 휴스턴 관제센터와 무선 교신을 시작했다. 오늘이 바로 닐과 버즈가 달에 착륙하기로 한 날이기 때문에 휴스턴에서는 두 우주인에게 마지막으로 주의사항을 전달했다. 대부분 예정된 임무에 대한 기술적 사항과 관련된 것들이었다.

그런데 휴스턴의 교신원이 갑자기 엉뚱한 얘기를 시작했다. "커다란 토끼와 함께 살고 있는 예쁘장한 여인을 꼭 만나길 바라네. 중국에는 4000년 동안 달에서 살고 있는 창어라는 아름다운 여인에 대한 전설이 있다더군. 그 여인은 자기 남편이 가지고 있던 불로불사(不老不死)의 약을 훔친 죄로 달로 추방된 모양이야. 아마 그 여인과 함께 있는 다른 일행도 만날 수 있을 거야. 엄청나게 큰 토끼가 계수나무 그늘 밑에서 뒤꿈치를 들고 서 있다니까 금세 찾을 거야."

물론 교신원이 하는 말은 농담이었다. 달에는 계수나무는커녕 사람이 숨을 쉴 수 있는 공기조차 없다. 아마도 인류 최초의 달 착륙이라는 역사적 임무를 코앞에 두고 무척 예민해져 있을 우리에게 그런 농담이라도 건네서 잠시 긴장을 풀어주려는 의도였을 것이다.

그날 아침에 우리가 약간 민감해져 있었던 것은 사실이다. 가장 큰 걱정은 아무래도 우주선이나 컴퓨터에 이상이 생기는 것이었다. 또 달 착륙선인 이글호가 달 표면에 내려앉을 때 먼지가 심하게 일어나면 어쩌나 하는 불안한 마음도 있었다. 그럴 경우 닐 암스트롱이 시야를 확보하지 못해 착륙에 어려움을 겪을 터였다. 또 다른 걱정은 달 착륙선이 착륙하기에 알맞은 고도의 지점을 찾지 못할 수도 있다는 것이었다. 하지만 그런 걱정은 모두 기우에 불과했다. 이후 이글호는 '고요의 바다(Mare Tranguillitatis)'에 우아하게 착륙했고 닐과 버즈는 주어진 임무를 훌륭하게 완수했다.

아폴로 탐사 계획이 세워지기 오래전부터 인류는 달을 자세히 관찰해왔다. 그래서 달 표면 자체는 그리 놀라운 광경이 아니었다. 인류에게 달이라는 존재는 신비로우면서도 의문의 대상이었다. 지구에서 얼마나 멀리 떨어져 있을까? 크기는 얼마나 될까? 어떤 물질로 만들어졌을까? 그리고 무엇보다 달에 갈 수 있는 방법은 없을까?

달은 은쟁반처럼 밝게 빛났고, 맑은 밤에는 너무나 선명하고 가까워 보여서 힘껏 뛰어오르면 손으로 만질 수 있을 것만 같다. 하지만 실제로 달은 지구에서 굉장히 멀리 떨어져 있다. 그 거리는 약 38만 킬로미터에 이른다. 과학자들은 달에 가보지 않고도 그 거리를 거의 정확하게 알아냈다. 어떻게 측정한 것일까?

최소한 두 가지 방법을 이용할 수 있다. 하나는 두 명의 관찰자가 서로 지구의 반대편에서 동시에 달을 바라보며 달의 위치를 측정하는 것이다. 달의 위치는 그 뒤쪽으로 어떤 별이 보이는지를 관찰해 알아낼 수 있다. 그리고 두 관찰자가 측정한 위치를 비교해 시차(視差)라고 하는 각을 측정할 수 있다. 두 관찰자 사이의 거리(지구의 지름)를 알고 있는 상태에서 시차가 측정되면 달과 두 명의 관찰자를 잇는 삼각형을 그려서 달까지의 거리를 측정한다.

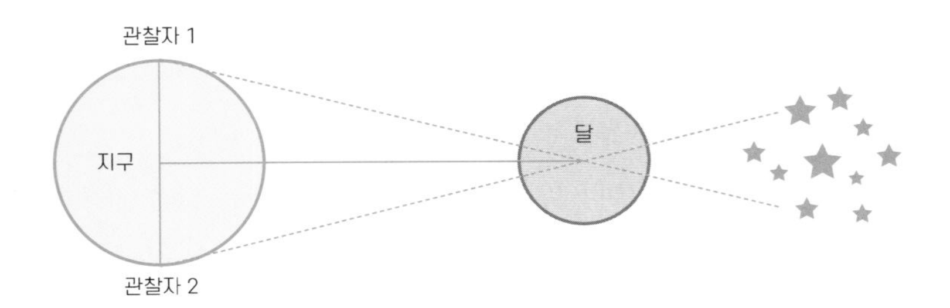

지구와 달의 거리를 알아내는 또 다른 방법은 무선 신호를 달 표면에 반사시켜서 그 전파가 지구와 달 사이를 왕복하는 시간을 측정하는 것이다. 전파 속도는 빛의 속도로 일정하기 때문에 그 시간을 알 수 있다면 거리를 쉽게 계산할 수 있다. 과학자들이 측정한 지구와 달의 거리는 약 38만 킬로미터다. 시차와 전파를 이용한 두 가지 방법을 활용한 결과 모두 같은 값을 얻을 수 있었다. 우리가 단 3일 만에 38만 킬로미터 밖에 있는 달에 도착했으니 우리가 타고 있던 로켓의 속도를 가늠할 수 있을 것이다.

우리가 그렇게 빠른 속도를 낼 수 있었던 이유는 풋볼 경기장의 지붕보다 더 높은 거대한 로켓을 타고 이 여행을 시작했기 때문이다. 로켓은 아주 천천히 출발해 조금씩 빨라지다가 마침내는 지구의 중력을 벗어나기에 충분한 속도를 낼 수 있었다. 그 과정에서 연료를 모두 소진한 연료통을 분리해 가벼워진 우리 로켓은 무중력의 우주 공간을 날아 달에 도착했다.

사람들은 오래전부터 달에 가고자 하는 꿈을 꿨다. 그래서 로켓이 발명되기 이전에도 허무맹랑한 방법들을 생각해내곤 했다. 현대에 태어났다면 우주선 조종사가 되었을 사람 중에 시라노 드 베르주라크•라는 프랑스인이 있다. 400년 전쯤에 태어났는데 내가 무척 좋아하는 인물이다. 그가 생각해낸 달에 가는 방법은 아침 일찍 일어나 정원에 있는 이슬을 모으는 것이었다. 그는 아침 해가 떠올라 증발하기 시작하는 이슬에 몸을 실으면 달까지 날아갈 수 있다고 주장했다.

이 방면에서 유명한 프랑스인이 또 있는데, 약 200년 전에 태어난 쥘 베른*이다. 그가 고안해낸 방법은 컬럼비아드라고 이름을 붙인 엄청나게 큰 대포로 로켓을 쏘아 달에 이르게 하는 것이었다. 베른이 쓴 달 여행에 대한 환상적이고 그럴듯한 글들은 실제 아폴로 계획으로 실현한 방법에 상당히 근접했다. 예를 들어 베른은 컬럼비아드가 우주선을 쏘아 올릴 위치로 플로리다의 탐파를 선택했는데, 그 지역은 컬럼비아호가 발사된 케이프케네디(현재는 케이프커내버럴로 개칭되었으나 이 책에서는 옛 이름으로 표기했다)에서 서쪽으로 불과 수 킬로미터밖에 안 떨어진 곳이다.

달 주위를 선회하던 1969년 7월의 어느 새벽, 나의 머릿속은 시라노나 베른이 아닌 암스트롱과 올드린에 대한 생각으로 가득 차 있었다. 지구에서 38만 킬로미터나 떨어진 곳까지 날아온 닐과 버즈가 달 표면에서 과연 무엇을 찾아낼 수 있을까? 우리에게는 어떤 상황에서도 대처할 수 있는 많은 정보가 있었지만 그 누구도 가보지 않은 곳이었기에 마음을 놓을 수는 없었다.

400년도 훨씬 전 갈릴레오가 만든 망원경으로 달 표면을 훔쳐보기 시작한 이래 우리 인류는 곳곳이 움푹 파인 달 표면에 대한 여러 가지 사실들을 알아냈다. 사진을 찍고 지도를 만들기도 했다. 레인저 계획(1961~1965년에 시행된 미국의 달 표면 탐사 계획. 무인 인공위성으로 시작했으며, 1~6호까지는 실패하고 7~9호는 7천 매 이상의 사진을 촬영했다. 아폴로 계획 준비의 하나였다)의 일환으로 발사된 무인 우주선들이 달 표면에 충돌하며 사진을 보내오기도 했고, 서베이어 계획(미국의 무인 달 표면 탐사 계획. 아폴로 계획을 준비하며 관측 기기를 달에 착륙시켜 달의 지질을 조사하는 계획이었으며, 1966년 6월 2일 1호를 발사해 사진을 촬영하고 전송했으며 7호의 발사로 계획이 완료되었다)의 일환으로 우주선들은 여러 장치를 부착한 채 달에 착륙해서 다양한 실험을 하기도 했다. 실험을 통해 달에는 대기가 없고 표면 온도는 1월의 시베리아보다 낮거나 8월의 사하라 사막보다 훨씬 높아진다는 사실도 밝혀냈다. 태양이 비추는 각도에 따라 온도가 급변하는 것이다.

달은 자전한다. 하지만 공전주기와 자전주기가 같아서 지구에서 보이는 면은 언제나 같다. 지구를 한 바퀴 도는 데에는 약 한 달이 걸린다. 그러는 동안 지구는 태양 주위를 더 큰 타원을 그리며 공전한다. 이 모든 운동을 종합해보면 달 표면의 어떤 한 지점은 태양빛이 전혀 비치지 않는 칠흑과 같은 상태부터 태양이 바로 위에서 비추는 상태(정오)까지 모든 상황을 경험하게 된다는 것을 알 수 있다.

우리가 지구를 떠나기 몇 달 전에 과학자들은 착륙선이 내려앉을 지점으로 경사가 거의 없는 달 표면의 한 지점을 정했다. 그런 다음 그 지점에 착륙할 시기를 계산했다. 우리가 원하는 조건은 닐과 버즈가 착륙하면서 달 표면을 잘 볼 수 있도록 태양을 등져야 한다는 것, 그리고 온도가 너무 낮거나 높지 않아야 한다는 것이었다. 새벽 직후가 가장 알맞은 시간이라는 결론이 나왔다. 보름달을 자세히 들여다보고 있으면 사람의 얼굴 모양을 볼 수 있는데 그 얼굴의 왼쪽

눈 바로 아래 지점이 닐과 버즈가 착륙한 곳이다. 우리가 착륙하던 그날 지구에서는 왼쪽 눈이 겨우 보이고 오른쪽 눈은 어둠에 가려져 있었다. 즉, 지구에서 보는 달의 모습은 반달보다 약간 더 작은 모양이었을 것이다.

그림을 그리지 않고서는 반달이 어떤 것인지 정확하게 설명할 자신이 없다. 달은 스스로는 아무런 빛을 발산하지 않지만 그 표면에 도달하는 태양빛을 반사하기 때문에 달을 보고 있으면 태양이 어느 쪽에 있는지를 알 수 있다. 또 그렇기 때문에 우리가 보는 달은 언제나 한쪽에는 태양빛이 비추고 있고 다른 한쪽은 어두울 수밖에 없다. 그런데 그런 달이 우리 눈에 매일 다르게 보이는 것은, 달이 공전을 해서 태양빛을 받는 각도가 달라지기 때문이다. 그래서 우리는 어느 날에는 밝은 쪽만 보게 되고(보름달), 또 어느 날에는 아예 보지 못하는가 하면(삭), 약간의 밝은 면(초승달, 그믐달) 혹은 반 이상이 밝게 빛나는 달(반달과 보름달 사이의 불룩한 모양의 달)을 보게 되기도 한다.

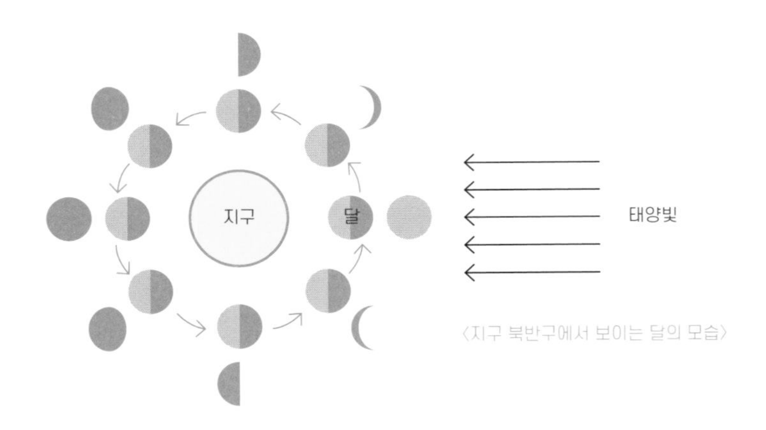

〈지구 북반구에서 보이는 달의 모습〉

누구나 한 번쯤은 달의 모양이 매일매일 조금씩 바뀌는 이유에 대해 생각해보았을 것이다. 하지만 달에서 본 지구의 모양을 궁금해 하는 사람은 거의 없을 것이다. 내가 본 대로 말하자면 지구는 우리가 보는 달의 모습과 크게 다르지 않았다. 지구도 달과 마찬가지로 스스로 빛을 발산하지 않고 표면에 도달하는 태양빛을 반사한다. 달 착륙 후 지구로 귀환하던 중에 내가 우주선의 창을 통해서 본 지구의 모습은 '초승지구'였다.

달의 크기는 지구보다 작기 때문에 중력도 지구보다 약할 수밖에 없다. 인체를 비롯한 모든 물체는 작은 행성보다는 큰 행성에 더 강하게 끌리게 되어 있다. 지구에서 나의 몸무게는 75킬로그램이지만 만약 달에서 측정한다면 눈금은 겨우 12.5를 가리킬 것이다! 닐과 버즈가 여러 가지 장비를 설치해 엄청나게 무거운 우주복을 입고도 달 표면 위에서 캥거루처럼 점프를 할 수 있었던 이유도 달의 중력이 약하기 때문이다. 또 같은 이유로 만일 내가 우리 태양계에서 가장 커다란 행성인 목성에 가서 몸무게를 잰다면 198킬로그램이라는 놀라운 수치가 나올 것이다. 그리고 당연히 목성에서 점프를 하기는 굉장히 어려울 것이다.

우리는 달에 가기 전에 그곳에서 우리가 찾게 될 수많은 암석에 대해서 많은 정보를 수집했다. 그 정보들 중 일부는 지구에서 망원경으로 찍은 사진들이고 또 일부는 우주선을 이용한 근접촬영에서 얻었다. 만일 닐과 버즈가 달에서 치즈를 가지고 왔다고 말하려면 지구에서 출발할 때부터 치즈를 가지고 가는 방법밖에 없었을 것이다. 즉, 우리가 달에서 볼 수 있는 것이라고는 암석밖에 없었다. 지겨울 정도로 많은 암석과 더불어 달에는 달갑지 않은 사실이 또 하나 있었는데, 숨 쉴 공기가 없다는 것이다. 그리고 예상했던 대로 달에는 물이 한 방울도 없었다. 물과 공기가 없는 달은 인간이 정착하는 것뿐만 아니라 잠시 머무르는 것조차 힘든 장소다. 닐과 버즈는 산소통을 등에 메고 임무를 수행했다. 하지만 산소통의 용량에는 한계가 있기 때문에 누군가가 달에 좀 더 오래 머무르고자 한다면 아마도 공기를 가득 채운 공기방울 모양의 플라스틱 주택을 짓고 그 안에서만 살아야 할 것이다.

달에는 좋은 점도 있다. 달에는 대기가 없기 때문에 별을 관측하기에 최적의 장소다. 대기가 없다는 것은 별에서 오는 빛을 차단하거나 방해하는 물질이 없다는 것을 뜻한다. 우리가 지구에서 보는 별의 모습은 아주 또렷한 것 같지만 실제로는 별빛의 90퍼센트가 대기에 의해 차단되어 지표면에 닿지 못한다. 대기가 없는 달에서 별을 관측한다면 이러한 문제가 해결되어 우주에 대한 좀 더 정확하고 많은 정보를 얻게 될 것이다.

물론 사람이 달에 거주하는 것은 아주 오랜 후에나 가능한 일일 것이다. 게다가 거주지 내부에 필요한 생필품까지 완벽하게 갖추려면 상당히 복잡한 과정을 거쳐야 하고 그에 따른 비용 또한 막대할 것이다.

인류가 달에 첫 발자국을 남긴 때는 존 F. 케네디 대통령이 유인 달 탐사 계획을 발표하고 8년이 지난 후였다. 내가 나사의 우주 비행사가 되기 위해 우주여행에 필요한 모든 지식을 배우는 데에는 6년이 걸렸다. 거기에다 최종 시험에 합격해야만 우주 비행을 할 수 있으니, 결코 짧은 시간이 아니다. 그 과정에서 나는 정글에서 굶주림을 해결하는 법이나 벼룩을 퇴치하는 법 같은 매우 흥미로운 지식들을 배울 수 있었다. 그 흥미진진한 이야기들은 이 책 뒷부분에서 다시 다룰 기회가 있을 것이다.

꿈을 향한 첫 관문,
파일럿 학교

내가 하늘을 나는 것에 관심이 생긴 것은 아홉 살 무렵이다. 내가 살던 텍사스 주의 샌 안토니오 근처에는 비행장이 몇 개 있어서 비행기를 자주 볼 수 있었다. 햇빛에 찌푸린 얼굴로 비행기를 올려다보면서 조종사가 되어 푸른 하늘을 맘껏 날아다니는 기분이 어떨지를 상상하곤 했다.

내가 처음 만든 모형 비행기는 기비라는 유명한 경주용 비행기였다. 그 비행기는 짧은 날개와 두툼하고 땅딸막한 동체로 되어 있고 앞쪽에 커다란 엔진이 달려있다. 좁아 보이는 조종실의 뒤쪽 연장선에는 동체와 수직으로 만나는 꼬리 날개가 달려있어서 언뜻 보면 땅벌처럼 생겼다. 기비는 그 당시로서는 놀라운 속도인 시속 400킬로미터로 곡선 코스를 선회할 수 있는 비행기였다. 지금의 비행기들이 모두 날렵한 외형을 갖추고 있는 것을 생각할 때, 둔탁한 외형의 그 비행기를 조종하는 일은 무척 까다로웠을 것이다. 그래서인지 실제로 기비는 몇 기가 생산되지 않았음에도 모두 충돌사고로 파괴되었다. 나는 발사나무(balsa wood, 모형 물체를 만드는 데 쓰이는 가벼운 열대 아메리카산 나무)를 자르고 깎아 모형을 만들었다. 경주용 비행기들이 흔히 그렇듯 흰색과 붉은색으로 페인트칠을 하고는 마지막으로 동체에 '행운'을 상징하는 두 개의 주사위를 그려 넣었다.

내가 비행기를 처음으로 타본 것은 열한 살 때로, 그루만 위전이라는 이름의 쌍발 수상 비행기였다. 하늘이나 땅을 구경하기보다 조종간만 뚫어지게 쳐다보는 나의 모습이 조종사에게는 무척 흥미로워 보였던 모양이다. 그는 나에게 비행기를 직접 조종해볼 수 있는 기회를 주었다. 비행기가 앞쪽으로 똑바로 날아가게 하려면 기수(비행기 앞부분)가 항상 하나의 수평선을 기준으로 일정한 높이를 유지해야 한다. 기수가 그 수평선 아래로 떨어지면 조종간을 몸 쪽으로 당기고 반대의 경우에는 조종간을 앞쪽으로 밀어야 한다. 그러한 원리를 알 리가 없던 열한 살의 꼬마는 비행기가 좌우로 요동치자 울상이 되고 말았다. 허둥대는 내 모습을 보고 큰 소리로 웃던 조종사의 모습이 지금도 잊히지 않는다. 그 순간에는 무척 당황스러웠지만 그날의 경험은 계속 나의 손과 머리에 남아 다시 한번 조종간을 잡고 싶은 열망이 떠나지를 않았다.

하지만 곧 2차 세계대전이 일어나는 바람에 한참 동안은 비행기를 탈 기회가 없었다. 그래도 비행에 관한 책들을 읽으면서 꿈을 키워 나갔는데, 그중에서도 특히 지상의 적들을 섬멸하는 전투기를 다룬 이야기가 좋았다. 내가 좋아했던 전투기는 날씬한 동체에 타원형의 날개가 달려있어 아름답고 우아한 자태를 뽐냈던 브리티시 스핏파이어다.

2차 세계대전이 끝나고 제트기의 시대가 왔을 때 나는 웨스트포인트의 사관생도가 되어 있었다. 졸업할 무렵 나는 선택의 기로에 놓였다. 육군 장교와 공군 장교 중에서 선택해야 했다. 결국 비행사가 되고 싶어 공군이 되기로 결심했지만 한 가지 고민이 남아있었다. 비행학교에서 낙오되면 조종사가 아닌 일반 보직으로 남게 되기 때문이다. 그럴 바에야 육군이 경력을 쌓는 데에는 더 도움이 된다. 그런 우려가 현실로 이어질 수도 있는 일이 일어났다.

비행학교를 지원한 후 첫 관문인 신체검사 날이었다. 나는 시력검사에서 원시 증상이 나타나서 불합격 판정을 받았다. 다행히 군의관들이 나에게 한 번 더 기회를 주기로 했고 일주일 후에 재검사를 하기로 했다. 나는 곧바로 안과 전문의와 상담을 했고 그가 알려준 대로 눈 운동을 한 덕분에 재검사에서 합격할 수 있었다. 야호!

드디어 비행을 하게 되었고 그것은 정말로 신나는 일이었다. 나는 노스아메리칸 T-6 텍산이라는 비행기로 비행 훈련을 시작했다. 그 비행기는 450마력의 성형 엔진(星形 엔진, 원형으로 기통이 배열된, 별 모양의 엔진)에 저익형(날개가 동체 아래에 붙은 비행기)으로 인입식 착륙

장치(착륙 바퀴를 접어 넣는 방식)가 탑재된 노란색 2인승 비행기였다. 대개는 내가 앞자리에 탑승하고 비행교관이 뒷자리에 앉았다.

내가 비행 중에 실수를 하면 교관이 인터폰으로 비명에 가까운 고함을 질러대서 나는 극도로 긴장할 수밖에 없었다. 긴장 때문에 조종간을 더 꽉 움켜쥐다 보니 한 시간의 비행 훈련이 끝나면 오른쪽 팔이 아팠다. 또 한 가지 걱정은 내가 왼손잡이라는 점이었다. 조종실의 왼쪽 저편에 있는 스로틀(throttle, 엔진의 공기 흡입량을 조절해 비행기의 속도를 조절하는 장치)을 왼손으로 조작해야 했기 때문에 조종간 조작을 오른손으로 익힐 수밖에 없었다. 하지만 조금씩 익숙해지면서 왼손잡이라는 것이 조종사가 되는 데 아무런 문제가 되지 않음을 깨달았다.

슬슬 비행교관의 비명 중간중간에 잘하고 있다는 칭찬의 말이 들리기 시작했다(그는 비명 지르는 것을 즐겼던 것 같기도 하다). 어느 때부턴가 조종석에 앉으면 편안해지고 자신감이 생겼다. 적어도 나는 동료들을 괴롭히던 한 가지에서 자유로웠다. 바로 비행 멀미였다. 말 그대로 단지 비행기를 탔기 때문에 나타나는 증상이었다. 대부분의 사람들은 몇 주가 지나면 자연스레 없어지지만 개중에는 계속 멀미로 고생하며 비행 훈련 후에 반드시 '확인(!)' 과정을 거쳐야 하는 동료들도 있었다.

약 20시간의 훈련 끝에 비행교관은 내가 단독으로 비행을 할 준비가 되었다고 판단했다. 난생처음으로 혼자 조종간을 잡았던 그 비행에서 나는 약간 겁을 먹기도 했다. 하지만 등 뒤에서 날아오는 고함소리를 듣지 않고 내 마음대로 하늘을 날아다닐 수 있는 상황을 마음껏 만끽했다. 그때까지만 해도 곧 내가 혼자 우주선을 타고 달 주위를 비행할 것이라고는 상상도 하지 못했다.

그런데 지금 생각해보면 그날의 비행은 그 모든 것의 시작이었다. 단독 비행 자체는 그 후 비행을 위해 익혀야 하는 수많은 지식과 기술에 비하면 아무것도 아니라는 뜻이다. 훌륭한 비행사는 야간이나 악천후에서의 비행은 물론이고 편대 비행(2기 이상의 항공기가 일정한 거리와 간격을 유지하는 비행)도 할 수 있어야 한다. 그 모든 것을 숙지하기까지는 꽤나 긴 기간이 필요하다. T-6으로 훈련을 시작한 나는 9개월 후에 제트기를 조종할 수 있는 자격을 얻었다.

어떤 면에서 보면 피스톤 엔진과 프로펠러를 이용하는 비행기보다는 제트기를 조종하는 게 더 쉽다고도 할 수 있다. 프로펠러기는 엔진 출력을 순간적으로 높이면 기수(機首)가 왼쪽이나 오른쪽으로 돌아간다. 토크라고 불리는 이 현상이 일어나면 조종사는 발로 방향 페달을 밟아 기수의 방향을 바로잡아주어야 한다. 제트기에서는 토크 현상이 일어나지 않기 때문에 발을 자주 사용하지 않아도 된다. 그렇게 남는 시간에 다른 조작에 좀 더 집중할 수 있다.

두 종류의 비행기의 또 다른 차이점은 기체의 반응 시간이다. 피스톤 엔진에서는 비행기의 출력을 높이기 위해서 스로틀을 조작하면 즉시 기체가 반응한다. 그러나 제트기, 그중에서도 초기의 제트기 엔진은 조종사가 엔진의 출력을 높이려고 조작을 하고 실제로 출력이 높아지기까지 10초 정도의 간격이 있다. 이러한 지연 현상 때문에 조종사가 무척 당황하기도 한다. 예를 들어 짧은 활주로에서 이륙을 하려고 할 때 출력이 높아지기를 기다리다 보면 이륙에 실패할 수도 있다. 그렇기 때문에 제트기를 조종할 때는 그런 점들을 미리 염두에 두어야 한다.

내가 처음으로 조종한 제트기는 T-33기였다. 록히드 사가 건조한 것으로 2차 세계대전이 끝날 무렵에 설계된 슈팅스타를 2인승으로 개조한 것이다. 미 공군은 T-33기를 개조한 모델인 NT-33기를 1997년에 마지막으로 퇴역시켰다. 나의 첫 비행 후 60년 이상 지난 지금도 미 공군에서는 T-33기 몇 대가 운용되고 있다. 이는 T-33기의 기본 설계가 뛰어나다는 점을 단적으로 보여준다. T-33기는 15킬로미터 상공에서 시속 1000킬로미터에 가까운 속도로 날 수 있다. 한 번 급유로 세 시간을 비행할 수 있지만 조종석이 무척 불편해서 비행한 지 두 시간도 안 되어 등에서 쥐가 날 정도다. 그렇다고 해서 내가 폭격기나 수송기를 조종하는 비행사들을 부러워한 것은 아니었다. 그 제트기를 타고서 달까지 간다면 시간이 얼마나 걸릴지를 계산해본 것도 물론 아니었다. 그 당시에는 훌륭한 제트전투기 파일럿이 되고 싶은 마음뿐이었다. T-33기 같은 제트기는 프로펠러 비행기보다 비행 상태가 훨씬 부드럽기도 하고 속도도 비교할 수 없을 만큼 빨라서 비행기 조종의 묘미를 한껏 느낄 수 있었다.

비행 훈련 중 가장 흥미로운 해를 보낸 후에 드디어 파일럿 자격을 얻었을 때 새로운 소식이 날아들었다. 네바다 주에 있는 라스베이거스에서 근무하라는 명령이었다. 물론 아직 전투기 조종사로 정식 임명된 것은 아니었지만, 그곳에서는 당시 최고의 전투기 중 하나인 F-86 세이버 제트기로 조종 훈련을 할 수 있었다. 그때가 1953년으로, 세이버는 한국전쟁에서 훌륭한 성능을 뽐내며 많은 전과를 올렸다. 성능도 우수하지만 매끄럽고 깨끗해 보이는 날개를 가진 그 초음속기를 꼭 조종해보고 싶었던 차에 그럴 기회가 왔다는 것이 너무나 기뻤다. 물론 슈팅스타를 조종하는 것보다 훨씬 까다로워 걱정이 되기도 했지만 조종석이 하나라는 점 그리고 무엇보다도 최고의 제트기를 조종할 수 있다는 기대감이 더 컸다.

우리 신입 조종사들은 세이버의 조종간을 잡는 것을 큰 영예로 여기며 되도록 빨리 과정을 마치기 위해 혼신의 힘을 다했다. 그러나 그 과정에서 안타깝게도 동료 몇 명이 목숨을 잃었다. 전투기 파일럿, 그중에서도 제트기 초기의 파일럿들은 많은 어려움을 겪었다.

라스베이거스에서의 훈련을 마친 후 나는 4년 동안 F-86기 편대에 배속되어 1000시간 이상의 비행시간을 기록했다. 멕시코 국경부터 대서양 건너까지 F-86기를 타고서 세계 곳곳을 누비며 흥미로운 지역들을 내려다볼 수 있었다. 리비아 사막의 유목민들이 1000년 전과 같이 낙타를 타고 가는 것을 보았다. 또 그린란드의 빙하가 부서지며 바다로 떨어져 빙산이 되는 장면을 목격하기도 했다. 아일랜드의 무성한 녹지와 지중해의 섬들을 둘러싼 반짝이는 바닷물과 독일의 산업지대를 덮고 있는 회색과 노란색의 옅은 안개도 기억에 남는다. 나는 파리와 런던과 로마도 내려다보았다. 그렇게 세계 곳곳의 여러 광경을 목격하며 나와 전혀 다른 세계관을 가진 사람들도 만났다. 그러면서 공군 파일럿이 되기를 정말 잘했다고 생각했다.

나의 처남도 파일럿인데 그는 테스트 파일럿이었다. 그의 임무는 여러 종류의 비행기들을 시험 운행하는 것이었는데 꽤나 흥미로워 보였다. 그래서 나도 캘리포니아 주의 에드워드 공군 기지에 있는 공군 테스트 파일럿 학교에 가서 테스트 파일럿 과정을 거쳤다. 그전에는 한 번도 생각해보지 않은 일이었다.

다행히 나는 고등학교와 사관학교에서 수학과 과학 과목을 제대로 이수했기 때문에 비행기가 뜨는 원리 혹은 우수한 비행기와 그렇지 않은 비행기의 차이점 등 테스트 파일럿에게 필요한 지식을 이해하는 데에 별 어려움이 없었다. (사실 나의 수학적 배경은 다른 우주인들에 비하면 그리 탁월하지 못했다.) 예전에는 그런 원리나 테스트에 대해서 전혀 생각해본 적이 없었다. 이미 테스트 파일럿들이 시험 운행을 통해 문제점을 보완하고 확인을 끝내 안전이 보장된 비행기의 조종간을 잡아봤을 뿐이다. 하지만 이제부터는 내가 비행기 운행과 관련된 모든 사항을 확인하고 바로잡아야 한다. 새로운 기종의 비행기가 실전에 배치되었을 때 중위 계급장을 달고 있는 무경험의 신참 조종사들이 뜻밖의 문제에 부딪히는 일이 없도록 하는 것이 나의 역할이자 책임이었다.

테스트 파일럿 학교에서는 짧은 시간 안에 새로운 비행기에 대해 되도록 많은 정보를 얻을 수 있는 방법을 배웠다. 모든 과정을 마친 후에 나는 에드워드 공군 기지의 공군기 테스트 부대에 배속되었다. 그런데 그 당시에 테스트할 전투기가 없어 조금은 실망했던 기억이 난다. 대신 나는 오래된 기종을 여러 가지 방법으로 개조한 전투기들을 시험 운행하는 데에 대부분의 시간을 보냈다. F-100 슈퍼 세이버, 컨베어 F-102 델타 대저, 록히드 F-104 스타파이터와 그 외 여러 종류의 비행기를 조종해봤는데 그 또한 무척 흥미로운 일이었다.

테스트 파일럿이 수행하는 임무는 매우 만족스러웠고 아쉬움이 없었다. 공군에서 내가 맡을 수 있는 최고의 임무였기 때문이다. 그런데 내가 해보지 못한 임무가 있었다. 그것은 파일럿인 나보다 더 높은 곳에서 더 빠르게 움직이는 것을 조종하는, 일명 우주인이 해내야 하는 임무였다. 우주인은 테스트 파일럿 중에서 선발했다. 그 당시에는 우주인이 단 일곱 명뿐이었는데 테스트 파일럿 동료들에게서 그들에 대한 이야기를 들을 수 있었다. 그 우주인들이 (대개는 나이가 조금 더 많고 경험이 풍부하기는 했지만) 슈퍼맨 같은 완벽한 사람이 아니라 우리들처럼 가끔 실수를 하기도 하는 테스트 파일럿 출신이라는 사실에 무척 놀랐다. 그 사실을 알고 나서부터 우주인의 자격이 무척 궁금해졌다.

내가 졸업한 뒤 테스트 파일럿 학교는 우주 연구 파일럿 학교

(Aerospace Research Pilot School)라는 좀 더 거창한 이름으로 바뀌었다. 공군 역시 나와 마찬가지로 우주인과 더 넓게는 우주에 관한 궁금증을 품고 있었음이 틀림없다. '우주' 관련 과목들도 개설되었다. 나는 학교로 돌아와 그 과목 중 일부의 수업에 참여해달라는 초대장을 받았다. 나는 다시 한번 학생이 되어서 인공위성이 추락하지 않고 궤도를 돌게 만드는 힘은 무엇인지, 무중력 상태가 인체에 어떤 영향을 미치는지, 그리고 날개도 없는 기계장치가 어떻게 하늘을 날 수 있는지 등에 관해 배웠다. 과정을 마치고 다시 전투기를 테스트하는 본래의 자리로 돌아온 나는 항공우주국이 추가로 우주인을 채용하기만을 기다렸다.

그로부터 몇 개월이 지난 후에 나사는 세 번째로 우주인을 채용한다는 공고를 냈다. 그 전해에 우주인 선발에 지원했다가 낙방한 뼈아픈 경험이 있었지만 이번에는 달랐다. 그사이 우주에 대한 수업을 들었기 때문에 그전보다는 훨씬 많은 것을 알고 있었고 그런 자신감은 나사가 분명히 나를 발탁할 것이라는 희망으로 이어졌다.

우주인으로 선발되기 위해 거쳐야 하는 첫 번째 관문은 일주일에 걸친 신체검사였다. 나는 혹시나 그들이 나의 몸 어딘가에서 이상이 있는 부분을 찾아내지나 않을까 하는 불안감으로 일주일을 보냈다. 테스트 자체도 달갑지 않은 것들이 많았다. 그들은 1리터 정도의 혈액 비슷한 것을 가져와서는 그 차가운 액체를 귀에 집어넣어 어지럽게 만들기도 했다. 이처럼 이유를 짐작조차 할 수 없는 여러 가지 테스트가 이어졌다.

심장 상태를 알아보는 테스트에서는 원 모양의 장치에 들어가 내 걸음으로 그 장치를 돌려야 했다. 경사는 조금씩 가팔라졌다. 심장 박동 수가 분당 180회가 되었을 때에야 그들은 나에게 멈추라는 신호를 보냈다. 심리 상태를 알아보기 위한 설문 테스트도 받았는데 그후에는 심리학자와 상담도 했다. 좀 이상한 질문도 있었는데 예를 들면 이런 식이었다. “당신은 게으름뱅이와 잘난 체하는 사람 중 어디에 속합니까? 둘 중 하나를 반드시 고르십시오.” 나는 결코 ‘게으름뱅이’가 되고 싶지는 않았기 때문에 잘난 체한다고 대답했지만 역시나 마지못해 했던 대답이다.

텍사스 주의 샌 안토니오에서 일주일간의 신체검사가 끝나자 이번에는 면접을 하기 위해 휴스턴으로 이동했다. 면접관은 우주선 조종사로 발탁되었던 최초 일곱 명 중의 두 명인 데크 슬레이턴*과 앨런 셰퍼드* 그리고 기술 전문가 몇 명이었다. 질문의 대부분은 나사의 우주 비행 계획에 대해서 얼마나 알고 있는지, 파일럿 경험을 바탕으로 내가 그 계획의 어떤 분야에 기여할 수 있는지를 알아보는데 집중되었다.

나는 제미니 계획과 아폴로 계획 그리고 머큐리호 이후로 발사가 예정되어 있는 2기의 우주선에 대한 연구를 많이 했기 때문에 대체로 훌륭한 답변을 내놓았다고 생각한다. 하지만 제대로 답변하지 못한 질문도 있었다. 예를 들면 머큐리호를 지구 궤도로 진입시키는 데에 쓰이는 아틀라스 부스터(booster: 보조 추진 로켓)에 대해서는 아는 것이 아무것도 없었다. 용어에 관해서 한 가지 덧붙이자면, 언제부턴가 우주인들은 자신이 타는 비행체를 캡슐(capsule)이 아닌 우주선(spacecraft)이라고 부르기 시작했다. 우리가 약을 복용할 때 삼키는 캡슐보다는 훨씬 더 적절한 단어인 것 같다.

면접을 마친 후에 에드워드 공군 기지로 돌아온 나는 합격 소식을 손꼽아 기다렸다. 이번이 마지막 기회라고 생각했다. 나사에는 초기에 선발한 일곱 명과 그다음에 선발한 제2그룹의 아홉 명을 합해서 모두 16명의 우주인이 있었다. 이번에 선발하는 우주인까지 합해 그 수가 늘어난다면 아마도 한동안 우주인을 선발하는 일은 없을 것이다. 게다가 우주인의 연령은 34세로 제한되었고, 당시 나는 이미 33세였다.

기다림과 걱정으로 가득 찬 한 달의 시간이 지났을 무렵 데크 슬레이턴에게서 전화가 왔다. 그는 내가 아직도 의향이 있다면 나를 나사의 우주인으로 선발하겠다고 했다. 아직도 의향이 있냐고? 지난 한 달 내내 이 일 말고는 아무것도 생각할 수 없었는데 의향이 있냐고 묻다니…. 전화기 너머로 들려오는 데크의 목소리는 아주 차분했지만 나는 도저히 흥분을 감출 수가 없었다. 한 달간 아무런 연락이 없자 신경이 곤두서 있던 아내 역시 기쁨의 함성을 질렀다. 네 살짜리 큰딸 케이트는 엄마 아빠가 흥분하는 이유를 이해하지 못한 채 물끄러미 쳐다만 보고 있었다.

나사는 그 당시 14명의 우주인을 선발했다. 이듬해에 우리는 모두 절친한 친구가 되었다. 모두 자부심이 넘쳤고 사적인 면에서나 업무 면에서 상대방을 배려할 줄 아는 이들이었다. 나는 지금도 그 그룹의 일원이 될 수 있었던 것을 큰 영광으로 생각한다. 그들은 버즈 올드린, 빌 앤더스, 찰리 바셋, 앨 빈, 유진 서난, 로저 채피, 월트 커닝엄, 돈 에슬레, 테드 프리먼, 딕 고든, 데이비드 스콧, 러스티 슈바이카르트, C. C. 윌리엄스다. 그리고 내가 빠뜨릴 뻔한 나머지 한 명은 마이클 콜린스다. 14명의 우주인 가운데 세 명은 지구 궤도를 돌았고 세 명은 달의 궤도까지 갔다 왔으며, 네 명은 달에 착륙했고, 네 명은 안타깝게도 목숨을 잃었다. 그러고 보면 지금까지 나의 삶에는 많은 행운이 있었던 듯하다.

하늘의 별만큼이나 많은 예측 불가능한 상황들

나와 아내 그리고 세 아이들은 1964년 1월에 휴스턴으로 이사했다. 나사는 그곳에 유인 우주선 센터(Manned Spacecraft Center)라고 불리는 새로운 기지를 건설하고 있었다. 우주인들은 새로 지은 건물로 이사했다.

나는 넓은 회색 철제 책상 옆에 책꽂이가 몇 개 놓여있고 한쪽 벽에는 칠판이 걸려 있는 조그마한 방을 배정받았다. 책상 서랍 안에는 꽤 많은 연필과 자 그리고 노란색 종이철 몇 권이 있었다. 우주인이 되는, 더 정확히 말하면 최소한 우주인이 되는 첫 출발에 필요한 것은 그것이 전부였다. 그 누구도 매일 무엇을 하며 보내야 하는지 알려주지 않았다. 모든 것을 나 혼자서 결정해야 했다. 나는 일단 머큐리, 제미니, 아폴로 계획으로 이어지는 우주 개발 프로그램의 역사와 앞으로 우주선을 설계할 기술자들이 부딪히게 될 문제점들을 되도록 많이 알아보기로 했다.

1964년 이전의 우주 개발 역사를 조사하는 일은 그다지 힘들지 않았다. 우주 개발은 이제 발걸음을 떼기 시작한 새로운 분야라 먼 역사까지 거슬러 올라가며 책을 뒤적일 필요가 없었기 때문이다. 물론 (그 이전의 수많은 사람들과 더불어) 쥘 베른 같은 사람들이 몇 세기 동안 달나라 여행을 꿈꿔왔고 중국인들이 약 700년 전에 작은 로켓을 만든 일이 있기는 하다. 하지만 사람들이 지구의 표면을 벗어나기 위한 방법으로 로켓의 힘을 고려한 것은 극히 최근의 일이다.

지구 대기 밖의 진공 상태인 우주에는 피스톤 엔진과 제트 엔진의 작동에 필요한 공기가 없기 때문에 그것들은 우주에서는 전혀 쓸모가 없다. 이러한 문제는 연료뿐만 아니라 연료와 혼합되어 발화를 일으키는 산화제까지 로켓에 필요한 모든 것을 대기 밖으로 실어 나르는 방법으로 해결할 수 있다. 사람들은 이런 문제를 20세기에 들어와서야 진지하게 생각하기 시작했고, 세 명 정도의 선구자가 이 일을 시작했다.

첫 번째 인물은 1857년에 태어난 콘스탄틴 치올콥스키라는 러시아인이다. 치올콥스키는 어린 시절 병을 앓고 청력을 잃었다. 그로 인해 입학을 거부당하자 혼자 공부하기로 마음먹었다. 그러고는 모스크바의 공립도서관에서 꽤 오랫동안 공부한 뒤 교사 시험에 합격했다. 교사로 일하며 시간이 날 때마다 다양한 비행기와 우주선의 설계도를 그렸다. 지금까지 그중 어느 것도 실제로 비행에 성공한 적은 없지만 그가 찾아낸 이론적 가능성은 상당히 진보적이었다. 예를 들어 그는 우주선에서 공기를 정화할 수 있는 식물을 길러야 한다고 생각했다. 인류가 앞으로 우주에서 장기간 거주하게 될 경우 그곳에서는 승무원들의 호흡에 필요한 공기를 생산하기 위해 치올콥스키가 예견했듯이 식물이 이용될 것으로 예상된다. 승무원들은 그 산소를 호흡해 (햇빛, 수분과 함께) 식물이 생활하는 데에 필요한 이산화탄소를 배출함으로써 식물과 공생관계를 이루며 생존할 수 있을 것이다. 과학자들은 어떤 현상이나 사물의 명칭을 길게 짓기를 좋아하는데 식물의 이러한 과정 역시 'Photosynthesis(광합성 작용)'라는 긴 이름으로 불린다.

콘스탄틴 치올콥스키는 1935년에 사망했는데 러시아인들은 그가 살던 집을 박물관으로 만들어 그를 기리고 있다. 나는 그곳을 방문해서 치올콥스키의 손자와 얘기를 나눈 적이 있다. 방문객들은 치올콥스키가 연구했던 우주 비행에 관해 배울 뿐만 아니라 그가 생활했던 모습을 생생하게 볼 수 있다. 그가 타던 자전거는 물론이거니와 제자들과 대화할 때 치올콥스키가 귀에 대고 사용했던 60센티미터 가량의 나팔 모양 양철 보청기도 잘 보존되어 있다.

미국에서 로켓학의 선구자로 꼽을 수 있는 인물은 1882년 매사추세츠에서 태어난 로버트 허칭스 고다드•다. 열일곱 살 때 벚나무에 올라가 가지를 다듬던 그는 문득 화성이 있는 곳까지 날아갈 수 있는 기계를 만든다면 정말 멋질 거라고 생각했다. 지금 당장 뭘 해야 할지는 몰랐지만 나무에서 내려왔을 때는 이미 다른 소년이 되어 있었다. 이제 인생의 목표가 생긴 것이다.

고다드는 자신의 목표를 이루기 위해서는 일단 공부를 열심히 해야겠다고 생각했고 박사학위를 따는 데 매진했다. 이론적인 부분에 치중했던 치올콥스키와는 달리 그는 로켓을 직접 제작했다. 1926년에 그는 세계 최초의 액체 연료 로켓을 만들었다(그 이전의 로켓들은 고체 연료를 썼다). 그런데 로켓의 성능이 향상될수록 소음도 같이 커졌고, 그만큼 이웃 주민들의 불평도 커졌다. 결국 경찰은 고다드에게 그 주변에서의 로켓 실험을 금지시켰다.

고다드는 실험 장소를 뉴멕시코 로스웰 인근의 사막으로 옮겼다. 그의 로켓은 지상 2800미터까지 오르는 데에 그쳤지만 1930년대까지 전 세계 어느 누구도 해내지 못한 일이었다. 그리고 그 로켓은 1969년에 발사된 거대한 로켓인 새턴 5호의 원형이기도 하다.

로켓 천재 중 세 번째는 헤르만 오베르트*라는 독일인이다. 오베르트는 우주 비행이 현실적으로 가능함을 증명하는 수학 방정식을 산출해냈다. 그의 생각은 우주선비행학회(Society for Spaceship Travel)의 창립으로 이어졌는데 그 단체의 회원들은 낙하산을 이용해서 로켓에 기록된 데이터를 회수하는 소형 액체 연료 로켓에 관해 연구했다. 2차 세계대전 중에 독일은 탄두(포탄이나 미사일 따위의 머리 부분. 용도에 따라 폭약, 뇌관, 유도 장치, 인공위성 따위를 넣을 수 있다)를 싣고

서 자국의 북부 지역에서 런던까지 충분히 날아갈 수 있는 추진력을 가진 V-2라는 로켓을 개발했는데, 오베르트의 이론을 바탕으로 한 것이었다.

2차 세계대전이 끝난 후에 이 연구의 책임자였던 베르너 폰 브라운은 그 분야의 전문가 몇 명과 함께 미국으로 이주해서 로켓 개발 연구를 이어갔다. 관심을 끌지 못했던 이들의 연구가 주목을 받기 시작한 것은 1957년 10월 4일 소련이 역사상 최초의 인공위성인 스푸트니크호를 발사한 때부터였다. (치올콥스키의 연구에도 불구하고) 당시 소련은 특히 첨단기술 부문에서는 뒤처졌다고 인식되고 있었기 때문에 스푸트니크호는 전 세계에 큰 충격을 주었다. 83.6킬로그램짜리 스푸트니크호를 궤도에 진입시키기 위해서는 그 물체를 가속시킬 수 있는 거대한 로켓이 필요했다. 하지만 미국은 83.6킬로그램은 커녕 벼룩 한 마리도 궤도에 올리지 못하고 있었다. 그나마 미국인들에게 위안이 된 것은 폰 브라운이라는 과학자가 소련을 따라잡기 위해 연구를 하고 있다는 사실이었다. 소련의 인공위성 궤도 진입 성공 소식이 전해지자 미국의 과학자들은 연구에 더욱 박차를 가했다. 우주 개발의 치열한 경쟁이 시작된 것이다!

1958년 초에 미국의 첫 번째 인공위성인 익스플로러 1호가 발사되었다. 과학자들은 이제 사람을 태운 인공위성에 관심을 쏟기 시작했다. 그 관심을 현실로 이루기 위한 머큐리 계획이 수립되었지만 소련이 한발 앞서 인류 최초로 인간을 우주 공간에 올려놓는 데 성공했다. 1961년에 유리 가가린을 태운 인공위성은 89분 동안 지구 궤도를 한 바퀴 돌았다. 단정한 용모와 친절함을 갖춘 가가린은 소련의 영웅이자 전 세계의 유명인사가 되었다. 그는 1968년에 미그-15기 훈련교관 임무를 수행하던 중 불의의 사고로 사망했다.

가가린의 성공 직후 소련보다 23일 뒤진 1961년 5월 5일, 미국도 앨런 셰퍼드를 미국 최초의 우주인으로 만들며 유인 인공위성 발사에 성공했다. 2개월 뒤 거스 그리섬이 우주 비행에 연이어 성공했다. 당시 두 비행의 목적은 궤도 진입이 아니라 단순히 지상 160킬로미터 상공에서 탄도곡선을 그리며 지구를 돌아 바다로 다시 떨어지는 고공비행이었다.

머큐리 계획에서는 존 글렌이 최초로 유인 인공위성을 타고 지구 궤도를 세 바퀴 돌았다. 그 뒤를 이어 스콧 카펜터와 월리 시라가 우주에 다녀왔고, 1963년에 고든 쿠퍼가 34시간 동안 지구 궤도에 머물면서 드디어 머큐리 계획의 최종 목표를 완수했다.

머큐리 계획에 참가한 우주인들에게는 자신이 탑승할 인공위성의 명칭을 정할 수 있는 특권이 주어졌다. 그 이름들은 모두 '7'로 끝나는데, 당시 우주인이 모두 7명이었고 그것을 큰 영예로 여겨 강조했던 것이다. 그들이 정한 이름은 프리덤 7호, 리버티 벨 7호, 프렌드십 7호, 오로라 7호, 시그마 7호, 페이스 7호였다. 오로라는 하늘에서 반짝이는 발광 현상을 말하는데, 주로 북극 부근에서 맑은 밤에 볼 수 있다. 시그마(Σ)는 그리스 문자의 하나로, 여러 항의 합을 나타내는 수학 기호다. 아마도 유인 우주선의 발사를 성공시키기 위해 많은 사람들이 쏟았던 노력과 협력을 기리기 위해 붙인 이름인 듯하다.

쿠퍼의 비행이 있었던 1963년부터 내가 휴스턴으로 이사한 1964년 사이에는 우주 비행이 한 번도 없었다. 9명의 우주인이 제2그룹으로 발탁되었고, 내가 속한 제3그룹에는 14명의 우주인이 발탁되었다. 우주인의 수는 7명에서 30명으로 늘었다. 그들도 그랬지만 특히 우리 같은 신참들은 하루라도 빨리 우주 비행을 하고 싶어 안달이 나 있었다. 하지만 가까운 시일 내의 우주 비행은 불가능해 보였다. 머큐리 계획은 모두 완수되었고 제미니 계획은 아직 시작하지 않은 시기였기 때문이다. 1961년 앨런 셰퍼드의 비행 직후, 케네디 대통령은 의회 연설에서 "미국은 10년 안에 인간을 달에 착륙시킨 뒤 무사히 지구로 귀환토록 하는 목표를 이뤄낼 것입니다"라고 선언했다. 하지만 그전에 풀어야 할 숙제들이 쌓여있었다.

2인승 제미니 우주선은 달에 인간을 착륙시키는 아폴로 계획을 시도하기 전에 지구 궤도를 돌면서 되도록 많은 정보를 수집하는 목적으로 설계되었다. 우리가 우려한 첫 번째 문제는 무중력 상태에서 장시간 머물 경우 우주인의 몸에 어떤 변화가 일어날지 모른다는 것이었다. 어떤 의사들은 무중력으로 인해 심장과 혈액 공급계가 교란되어 제 기능을 하지 못할 거라고 우려했다.

우리가 지구에서 경험할 수 있는 무중력 상태는 극히 짧은 순간뿐이다. 그중 하나가 높은 건물에서 뛰어내릴 때인데 지면과 충돌하기 전까지는 무중력 상태가 된다. 하지만 이런 방법을 사용할 수는 없는 노릇 아닌가! 두 번째는 제트기를 이용하는 것이다. 수평으로 비행하던 제트기의 기수를 올려 가파르게 상승시킨 후 다시 기수를 내려 포물선을 그리며 매우 빠른 속도로 하강한다. 그러면 기내에 있는 사람들은 비행기와 더불어 무중력 상태를 경험하게 된다. 이러한 무중력 상태는 하강 직후부터 약 20초 동안 지속된다. 앨런 셰퍼드의 15분에 걸친 비행과 함께 머큐리 계획이 시작되기까지 우리 우주인들이 경험했던 무중력 상태는 이러한 짧은 시간이 전부였다. 이후 우주 비행 시간이 점점 길어져서 드디어 쿠퍼가 특별한 신체적 이상 없이 우주에서 하루 반나절을 머문 후에 귀환했다.

하지만 달까지의 왕복 비행은 일주일 이상이 걸린다. 그렇게 장시간 무중력 상태에 노출되었을 때 일어날 수 있는 인체의 변화가 어느 정도일지는 그 누구도 장담할 수 없었다. 소련의 우주인들은 메스꺼움과 관련된 약간의 문제를 겪었다고 보고한 바 있었다. 그래서 제미니 계획에서는 한 번의 비행으로 모든 문제점을 알아내기 위해 두 명의 우주인을 14일간 우주에 머무르게 하는 비행이 예정되었다. 물론 이런 장기간의 비행은 우주인들이 우주에 머무는 시간을 4일, 8일로 점차 늘려가면서도 신체에 아무런 이상이 발견되지 않았을 때에만 실행에 옮길 수 있었다.

승무원의 신체 반응에 이은 두 번째 문제는 두 우주선의 랑데부와 도킹에 관한 것이었다. 아폴로 계획의 우주선들은 달의 궤도를 선회하면서 두 개의 우주선(모선과 착륙선)으로 분리되고 이후에 다시 도킹하도록 설계되고 있었다. 하지만 그때까지 어느 누구도 우주 공간에서 랑데부와 도킹을 시도해본 적이 없었다! 그런 일이 현실적으로 가능한 것일까? 지구나 달 주위를 엄청난 속도로 선회하는 두 물체가 과연 서로의 위치를 확인하고 동일한 궤도의 동일한 지점에서 동일한 속도를 내며 도킹에 성공할 수 있을까? 설사 운 좋게 성공한다고 하더라도 그 이후에도 계속 성공할 수 있을까? 1960년대가 지나기 전에 인간의 달 여행을 완수하라는 케네디 대통령의 명령을 안전하게 완수하기 위해서 우리는 무중력 상태에서의 인체 변화뿐만이 아니라 이러한 여러 문제에 대해서도 연구해야 했다.

세 번째 문제는 우주인의 우주선 밖에서의 활동에 관한 것이었다. 우리는 달에 착륙한 우주인들이 단순히 우주선 내부에 머무는 것이 아니라 공기가 없는 달의 표면을 걸어 다니며 여러 가지 활동을 하기를 원했다. 이것은 우주인이 호흡에 필요한 공기가 든 우주복을 입은 채로 걷는 훈련을 해야 한다는 것을 뜻했다. 물론 제미니 계획 아래에서는 달 표면에 '발자국'을 새길 수 없었지만 '우주 유영'을 준비하면서 휴대용 호흡 장치와 냉각 장치를 효율적으로 설계하는 노하우를 습득할 수 있었다.

제미니 계획을 통해 해답을 찾아내고자 했던 이러한 문제들 말고도 달에 가는 데에는 많은 위험 요소들이 도사리고 있었다. 그중 하나는 우리를 태운 우주선이 장기간 비행을 해도 문제를 일으키지 않을 만큼 완벽에 가까운 견고함과 신뢰성을 갖추어야 한다는 것이었다. 만일 지구 궤도상에서 우주선에 문제가 발생한다면 우리는 한 시간 이내에 지표면으로 귀환할 수 있다. 하지만 그러한 문제가 달의 궤도에서 발생한다면 귀환하는 데에는 3일이 소요된다.

예를 들어 태양은 때때로 '태양풍'이라고 하는 막대한 양의 에너지를 발산한다. 이때 분출된 입자들은 우주선을 관통해 우주인의 신체까지 뚫고 지나갈 것이다. 그 입자의 양에 따라서 우주인은 병에 걸릴 수도 있고 어쩌면 목숨까지 잃을 수도 있다. 우리가 살고 있는 지구는 대기가 지표면에 도달하는 대부분의 방사능을 막아주기 때문에 태양풍으로부터 안전하다.

운석 또한 걸림돌이 될 수 있다. 1964년만 해도 우주 공간에 얼마나 많은 운석이 있고 만일 우주선이 운석과 충돌한다면 어떤 일이 벌어질지에 대한 정보가 하나도 없는 상태였다. 다만 달에 대한 이전의 연구를 통해 달 표면에는 운석과의 충돌로 인해 생긴 수백만 개의 크레이터(crater: 달, 위성, 행성 표면에 있는 크고 작은 구멍)가 존재한다는 정도의 지식만이 있을 뿐이었다. 개중에는 엄청나게 큰 것도 있었다.

달의 표면 상태도 1964년 당시에는 커다란 논쟁의 대상이었다. 일부 과학자들은 달 표면이 크고 작은 자갈로 뒤덮인 일부분을 제외하고는 단단하고 평평할 것이라고 생각했는데 결국은 이 생각이 옳았던 것으로 밝혀졌다. 하지만 어떤 과학자들은 달 표면이 10~12미터 두께의 먼지층으로 덮여있을 것이라고 예상했다. 만일 그런 표면에 우주선이 착륙한다면 먼지층 속으로 가라앉아 묻히는 치명적인 사고가 일어날 것이다. 또 일부 과학자들은 정전기로 인해 달의 먼지가 착륙선의 창에 달라붙어 조종사의 시야를 가려서 착륙선이 지표면에 충돌하는 사고가 발생할 수도 있다고 예상했다.

태양빛에 지속적으로 노출되는 것도 우려할 점이라고 주장하는 사람들도 있었다. 지구 궤도를 도는 우주선은 주기적으로 지구의 그림자에 숨어 태양빛을 피할 수 있다. 하지만 달로 향하는 우주 공간에서는 태양빛을 피할 곳이 없고 태양빛이 24시간 내내 우주선을 비추게 된다. 우주선에서 태양빛을 받는 면의 온도는 너무 올라가고 반대쪽의 온도는 너무 내려가서 문제가 되지는 않을까? 이런 환경이 우주선 내부에 어떤 영향을 미칠까? 우리는 이 문제에 대해 어떤 판단도 내릴 수가 없었다.

습도 문제도 있었다. 마치 한여름에 차가운 아이스티가 들어 있는 컵 겉면에 물방울이 맺히듯이 습도가 너무 높을 경우에는 그 수분들이 우주선의 차가워진 장비에서 액화가 되지 않을까 염려했다. 그런 일이 우주선의 전기장치에서 일어난다면 누전이 발생해서 지상과의 무선 통신이 두절되는 심각한 문제가 생길 수 있다.

무선 통신의 두절이 치명적인 이유는 통신이 두절되면 지상에 있는 레이더 추적 장치와 컴퓨터의 도움을 받지 못하고 조종사와 우주선 자체의 능력만으로 달까지 갔다 와야 하기 때문이다. 그것은 거의 불가능에 가깝다. 항법 장치가 설계되고는 있었지만 고도의 정밀함이 요구되는 우주 비행에서 장비의 정밀도가 과연 그 조건을 충족시킬지는 아무도 장담할 수 없었다. 예를 들어 달에서 귀환하는 우주선은 상하 약 65킬로미터의 좁은 영역 내에서 지구로 진입해야 한다. 만일 그 영역보다 높게 접근할 경우 지구를 지나쳐 영영 귀환하지 못한다. 반대로 그 영역보다 낮게 접근한다면 대기층과 너무 높은 각으로 마찰하게 되어 우주선이 불에 타버릴 것이다. 38만 킬로미터 떨어진 곳에서 65킬로미터 크기의 과녁을 명중시키려면 6미터 거리에서 빛을 쏘아 머리카락 한 올을 맞히는 정도의 정밀함이 필요하다.

이러한 문제에 대해서 더 많이 배우고 연구할수록 나의 회색 책상과 책장에는 서류와 책들이 쌓여갔다. 각자가 자신의 관심 분야에 대해 연구하는 것 말고도 내가 속한 제3그룹 14명의 '신참' 조종사들은 나사가 마련한 일종의 학교에서 강의를 들었다.

나는 학교에 다니는 것을 그다지 좋아하지 않지만 그 학교는 맘에 들었다. 몇 가지 이유가 있었다. 첫째, 그 학교에서는 시험을 보지 않았다. 시험이란 언제나 골치 아픈 것이다. 둘째, 그 학교는 단 몇 개월의 과정이었고 강의시간도 하루에 서너 시간이 전부였다. 셋째, 아마도 그곳이 내가 다니게 되는 마지막 학교일 거라는 예상 때문이었다. 우리는 여러 가지 주제에 대해서 공부했는데 그중에는 매우 복잡하고 이해하기 어려운 것도 있었고 매우 간단한 것도 있었다. 몇 가지 예를 들자면 천문학, 공기역학, 로켓 추진 장치, 기상학, 항법, 컴퓨터 등등이었다.

우리는 또 전혀 예상하지도 못했던 지질학 공부에 많은 시간을 들였다. 지질학은 지구의 기원과 역사와 구조를 연구하는 학문이다. 지구의 표면을 이루는 물질은 대부분 암석이니만큼 지질학 수업도 주로 암석에 대한 것으로 채워졌다. 하지만 우리가 암석학을 공부하는 진짜 이유는 조금 달랐다. 우리가 만약 언젠가 달에 도착한다면 그곳에서 해야 하는 주요 임무는 연구 가치가 있는 월석을 가지고 지구로 귀환하는 것이었다. 과학자들은 그 암석들을 분석해 달의 생성과 역사에 관한 정보들을 얻어낼 것이다. 그러려면 아무 암석이나 주워 올 수는 없는 일이므로 암석학 방면의 지식이 어느 정도 필요했다. 그것이 우리가 지질학을 공부하는 이유였다. 물론 우리가 공부하는 암석은 모두 지구의 것들이었지만 달의 암석도 지구의 것과 큰 차이가 없을 것이라고 생각했다.

1964년의 휴스턴은 스산한 기운마저 감도는 생경한 곳이었지만 앞으로 경험하게 될 일들을 상상하면 흥분하지 않을 수 없었다. 내가 우주 유영을 하게 될지 아니면 더 멀리 달 표면에 내 발자국을 남기게 될지 누가 알겠는가? 아니 달까지는 가보지 못한다고 하더라도 나는 드디어 우주인이 된 것이다. 와우! 이제 나는 우주선을 타고 우주에 다녀오라는 명령이 내려지길 기다릴 뿐이다!

우주인의 특별한 야외 수업

우주를 비행하기 위해서 배우고 익혀야 할 것이 수천 가지는 남아있었다. 몇몇 가지는 책상 앞에 앉아서 터득할 수 있는 것이었지만 굉장히 먼 곳으로 가서 배워야 하는 것들도 있었다. 예를 들어 지질학을 공부할 때 처음에는 연구실에서 암석을 관찰하는 것이 전부였지만 그 과정을 마친 다음에는 그 암석이 어떤 과정을 거쳐 형성되었는지를 확인하기 위해서 직접 채집 장소로 가야 했다.

달 표면의 크레이터는 운석과의 충돌(운석공) 혹은 달 내부의 화산 활동(화산공) 때문에 생긴 것이다. 두 크레이터 층의 차이점을 알아내기 위해서 우리는 애리조나에 있는 운석공과 하와이에 있는 화산공을 직접 찾아가 확인했다. 우리는 또 오리건, 뉴멕시코, 텍사스에 있는 특이한 암석층들을 찾아가기도 했다.

그중 가장 기억에 남는 곳은 그랜드캐니언이다. 그곳은 유일하게 하룻밤을 보낸 장소이자 우리의 첫 번째 지질학 야외 수업 장소였다. 그랜드캐니언은 애리조나 사막을 가로지르는 콜로라도 강의 흐름으로 인한 침식 작용이 만든 구조로, 현재 그 깊이는 약 1.6킬로미터, 너비는 수십 킬로미터에 이른다. 좁은 길을 따라 형성된 여러 지층을 관찰하며 이리저리 오가다 보면 그 지역이 생성되기까지의 역사를 알 수 있다. 가장 최근에 생성된 지층이 제일 위에 있고 그 밑으로는 강물의 침식 작용으로 드러난 예전 지층들이 생성된 순서대로 쌓여있다. 그래서 계곡 제일 아래 부분에는 생성 시기가 20억 년 전으로 측정되는 암석들도 있다. 200만 년이 아니라 20억 년이다! 그 연령은 우리가 추측하는 태양계 연령의 거의 절반에 해당한다.

계곡이 깊어질수록 나무와 식물의 분포도 큰 변화를 보인다. 높은 지대의 그늘진 어떤 장소에는 훨씬 더 북쪽 지역에서만 볼 수 있는 전나무가 자라고 있을 정도로 기온이 낮다. 계곡 가장 아래쪽에는 남쪽 지방의 사막에서 발견되는 것과 같은 종류의 선인장들이 서식하고 있다. 그곳의 암석이나 식물들은 멕시코 주 일부 지역의 고산지대에서 볼 수 있는 극소수의 캐나다산 식물들처럼 큰 대조를 보인다. 동물들 또한 고지대의 산양에서 깊은 계곡의 도마뱀까지 매우 다양하다.

동물 얘기가 나왔으니 가장 고집 센 동물로 알려진 당나귀 얘기를 하지 않을 수 없다. 우리는 그랜드캐니언 계곡에 있는 작은 호텔에서 하룻밤을 묵고 다음 날 아침 당나귀를 타고 계곡을 다시 거슬러 올라갔다. 나는 무리 중에서 가장 젊고 힘이 세고 성실해 보이는 당나귀를 골랐는데 나중에 알고 보니 가장 게으른 놈이었다. 내가 발차기를 멈추면 그 녀석도 걸음을 멈추는 통에 얼마나 애를 먹었는지 모른다.

우리가 그렇게 장거리 여행을 하는 데에는 다른 이유도 있었다. 예를 들어, 우리는 우주선이 지구로 귀환하는 도중에 어떤 문제가 생겨 도착 예정 지점과 멀리 떨어진 곳이나 정글이나 사막에 불시착할 가능성에 대해서도 대처해야 했다. 추운 극지방 등으로 불시착할 염려는 없었다. 지구 궤도나 달에서 귀환하는 우주선의 최종 비행경로는 적도 부근이기 때문이다. 만일 우주선이 예정 지역을 벗어나 바다 어딘가에 떨어진다면 구조를 기다리는 동안 할 수 있는 일이 아무것도 없다. 하지만 사막이나 정글 지역이라면 생존을 위해서 할 수 있는 일들이 많기에 파일럿이나 우주인들은 그런 것들을 미리 익혀두어야 한다.

정글에서 살아남는 법을 배우기 위해 우리는 거의 2주간을 파나마에 머물렀다. 처음 며칠은 공군이 제작한 매뉴얼을 실내에서 학습했다. 그 책자에는 생소한 지역에 불시착한 파일럿들에게 도움이 될 만한 내용이 담겨있었다.

하지만 나는 그 매뉴얼이 생소하기만 했다. 거기에는 이런 내용이 있었다. "기어 다니고 헤엄치고 날아다니는 모든 것이 먹을거리가 될 수 있다." 그리고 이렇게 덧붙였다. "사람들은 메뚜기, 털이 없는 유충(번데기), 알, 흰개미를 먹기도 한다." 웩! 털이 있든 없든 유충을 먹는다는 것은 웬만큼 굶주리지 않고서는 상상도 못 할 일이었다. 좀 더 괜찮은 먹을거리를 바라는 것은 무리일까? 매뉴얼은 이렇게 이어진다. "땅에는 고슴도치, 호저, 들쥐, 야생 돼지가 있고 나무에는 박쥐, 다람쥐, 생쥐, 원숭이가 있다."

생쥐 파이, 박쥐 수프, 호저 구이, 다람쥐 바비큐…. 상상이나 할 수 있겠는가? 정글에서 땅콩버터나 잼을 구하는 것은 당연히 불가능해 보였다. 그 매뉴얼에서 유일하게 동의할 수 있는 대목은 "두꺼비는 먹지 마시오"라는 문장이었다. 이 충고만큼은 끝까지 지킬 자신이 있었다.

식용의 목적으로 사냥할 수 있는 동물과 더불어 매뉴얼에는 반드시 피해야 할 동물도 명시되어 있었다. "호랑이, 코뿔소, 코끼리 같은 동물들은 무리를 이루기 때문에 자극하면 위험에 처할 수도 있다. 또한 다리가 많은 동물을 피해야 한다. … 전갈은 독이 있고 옷이나 침대나 신발 속에 숨어 있는 경우가 많으므로 각별히 조심해야 한다."

정글에서 자다가 아침에 깼는데 주위에 10여 마리의 전갈이 있는 상황을 상상해보라. 신발 양쪽에 한 마리씩 들어가 있고 뒷주머니에 두 마리, 그리고 빗 틈에는 세 마리가 몸을 웅크리고 있다. 거기까지는 봐줄 만하다. 방금 자고 일어난 방수침낭 속에 두 마리가 있고 입고 있는 스웨터의 소매 끝에서 또 한 마리가 꿈틀대며 나온다면….
정말 상상도 하기 싫은 일이다.

이런 생각이 꼬리를 물다 보니 수업이 실내에서만 진행되었으면 하는 마음이 간절했다. 물론 교실에도 징그럽게 생긴 전갈과 뱀이 득실대긴 마찬가지였지만 다행히 알코올이 채워진 유리병 안에 떠 있었다. 며칠 후 교관은 책과 입으로만 하는 정글 얘기는 그쯤 하고 실제로 정글에 가서 생존 훈련을 하자고 했다. 그러고는 우리를 헬리콥터에 태워 정글 안쪽 조그마한 평지에 내려주었다. 이제 우리는 두 명씩 팀을 이뤄 그곳에서 3일을 보내야 했다.

나는 빌 앤더스와 한 팀이 되었다. 그는 캠핑 지식과 경험이 풍부한 믿음직한 친구였다. 빌은 내가 해보지 못한 보이스카우트 활동을 했었고 큰 송어를 낚겠다는 일념으로 아무도 가본 적이 없는 깊은 산속의 낚시터를 찾아 헤매던 사람이다. 입맛도 상당히 까다로웠는데 나중에 설명하겠지만 그 점도 정글 생활에서 큰 도움이 되었다.

우리가 처음에 한 일은 지정된 야영지로 이동하는 것이었다. 몇 킬로미터 정도 정글을 헤치고 들어갔는데 놀랍게도 정글이 텅 비어 있었다. 매뉴얼에서 읽었던 고슴도치, 호저, 멧돼지와 들쥐는 다 어디로 가버린 걸까? 정글이 이렇게나 조용하다니. 새가 지저귀는 소리조차 들리지 않았다. 아마도 우리가 통로를 확보하기 위해 늘어진 가지를 쳐내는 소리를 듣고 놀란 나머지 일찌감치 달아난 게 아닐까 싶었다. 아무튼 아무것도 보이지 않으니 우리는 무엇을 먹어야 하는 것일까? 빌은 배가 전혀 고프지 않다고 했지만 당연히 거짓말일 것이다.

밤이 되면서 처음으로 찾아든 손님은 모기였다. 나는 그물 침대에 누워 배에서 나는 꼬르륵 소리를 들었다. 저 하늘에 보이는 달에 다녀올 귀한 몸이 이렇게 아무것도 없는 정글 한가운데서 쫄쫄 굶으며 모기와 싸우고 있자니 처량하기 이를 데 없었다.

아침이 되자 우리는 근처 냇가에서 물고기를 잡기로 했다. 송사리만큼 아주 작은 것들이지만 30~40마리쯤 잡으면 아침식사로는 충분할 것 같았다. 하지만 운이 없었는지 몇 시간째 열심히 좇아다녔건만 한 마리도 잡지 못했다.

빌과 나는 몰려오는 허기를 견디며 식물이라도 찾아보기로 했다. 그동안 배운 수업에 의하면 주변 식물들 중에 우리가 먹을 수 있는 것은 야자나무가 유일했다. 그중에서도 먹을 수 있는 부분은 '고갱이'라고 불리는, 셀러리 줄기보다 조금 더 굵고 약간 단단한 녹색 심이다. 문제는 그 부위가 나무 안쪽에 있다는 것이었다. 그래서 그 부분을 맛보려면 일단 야자나무를 벤 다음 껍질을 벗겨내야 한다. 우리가 가지고 있던 조그맣고 무딘 칼로 그런 작업을 하는 것이 무리가 있어 보이기는 했지만 빌과 나는 먹을 것을 구하려면 다른 선택의 여지가 없다는 결론을 내리고서 괜찮아 보이는 나무를 하나 골랐다.

나무를 베기 시작한 지 한 시간쯤 지났을 때 드디어 나무가 쿵하고 쓰러졌다. 하지만 나무에 손을 댈 틈도 없이 그 안에서 개미들이 쏟아져 나오기 시작했다. 겉만 멀쩡했지 속은 텅 비어 있었다. 고갱이로 보이는 부분도 변색이 된 게 썩은 듯했다. 게다가 사방 천지가 개미였다. 개미들은 난데없이 자신들의 집을 무너뜨린 두 명의 테러리스트를 향해 돌진했다! 우리는 서둘러 그 자리를 피했고 우리의 불행(혹은 나무 고르는 기술의 부족)을 한탄하면서 이제 무엇을 해야 할지를 논의했다. 하지만 먹을 것을 구하기 위해 선택할 수 있는 방법은 결국 다른 야자나무를 찾아보는 것 외에는 없었다.

두 번째 나무를 고를 때는 좀 더 신중을 기했다. 무엇보다 나무 근처에 개미들이 있는지를 유심히 살펴보았다. 그렇게 해서 고른 나무에서 대박이 터졌다. 나무가 쓰러졌을 때 우리는 고갱이가 신선하다는 것을 대번에 알 수 있었고 개미는 한 마리도 보이지 않았다. 그 나무의 고갱이에서 제일 연한 부분으로 60센티미터 정도를 잘라냈다. 고갱이의 직경이 13센티미터 정도였으니 하루 분량의 샐러드가 생긴 셈이었다. 고갱이와 함께 버무릴 소스가 없는 게 아쉽긴 했지만 우리는 감지덕지하며 그것을 넓적하게 잘라 우적우적 씹어 먹었다. 맛은 그다지 나쁘지 않았고 땅콩과 상추와 아티초크(국화과의 채소)를 섞어놓은 듯한 향이 약간 나기도 했다.

그날 저녁에 교관이 우리 야영지로 와서는 가엾다는 듯 소위 음식이라는 것을 주고 갔다. 이구아나 한 마리였다. 이구아나는 큰 도마뱀으로 겉모습은 용을 닮았고 아주 무섭게 생겼다. 하지만 사실은 겁이 많고 인간에게 전혀 해를 끼치지 않는 동물이다. 평소 같았으면 그 흉측하게 생기고 냄새 나는 동물을 먹는다는 것은 상상도 할 수 없는 일이다. 하지만 너무나 배가 고팠던 나는 아주 기쁜 마음으로 큰 양철 냄비를 들고 냇가로 가서 물을 반쯤 채워왔다. 그러고는 이구아나를 주먹만 한 크기로 잘라 냄비에 집어넣었다. 이제 불에 석탄을 얹은 다음 나뭇가지로 버팀목을 만들어 냄비를 그 위에 걸어놓기만 하면 된다. 무엇인가를 먹을 수 있다는 생각에 콧노래가 절로 흘러나왔다.

얼마 지나지 않아 우리의 임시 주방에서는 보글보글 끓는 소리와 함께 냄새가 진동하기 시작했다. 그 못생긴 도마뱀이 냄비에 들어가기 전에 풍기던 냄새와는 전혀 다른 아주 향기로운 냄새였다. 웬만큼 식은 후에 한 입을 베어 물었더니 맛이 아주 끝내줬다. 육질도 연하고 닭고기와 비슷하면서도 색다른 맛이 났다.

빌은 그런 이상한 동물을 먹는다는 것이 썩 내키지 않는지 야자나무 고갱이만 계속 먹었다. 고맙게도 자신의 몫까지 나에게 주었다. 앞에서 얘기했듯이 빌의 까다로운 입맛이 나의 정글 생활을 풍요롭게 해주었던 것이다. 그날 저녁 나는 (귀찮은 모기를 쫓기 위해서) 불 가까이에 앉아 야자나무 고갱이와 이구아나 고기를 실컷 먹었다. 빌에게는 실례가 되는 일이었지만 트림까지 해가면서 말이다. 배가 불러오자 어젯밤과는 달리 정글도 있을 만한 곳이라는 생각이 들었다.

다음 날 우리는 안토니오라는 아메리카 원주민 추장을 만났다. 그는 우리 교관의 친구였고 통역을 통해 그의 정글 생활에 대해 조금

들을 수 있었다. 그의 나이는 마흔 살이고, 손자도 있다고 했는데 우리가 보기에는 그보다 훨씬 더 젊어 보였다. 작은 키에 새까만 머리카락과 근육질의 마른 몸매를 가지고 있었다. 그가 입은 것이라고는 허리에 두른 짧은 치마가 전부였다. 그런데도 왠지 모기에 물릴 것 같지 않았고 설령 물리더라도 별로 개의치 않을 것 같았다. 주름 하나 없는 얼굴은 미국의 대도시에서 흔히 마주치는 삶에 찌든 마흔 살의 얼굴과는 전혀 달랐다. 근심 하나 없는 태평스러운 표정이었다. 1년 후에 안토니오를 워싱턴에서 다시 만난 적이 있다. 도시에 어울리는 옷을 차려입은 그는 어쩐지 어색해 보였다. 그가 정글에서 나를 봤을 때도 마찬가지였을 것이다.

우리는 사막에서도 며칠을 지냈는데 정글만큼 재미있지는 않았다. 만일 우주선이 사막에 불시착한다면 조종사들이 할 수 있는 일은 햇볕을 피해 그늘진 곳을 찾아 구조팀이 오기를 기다리는 것뿐이다. 가장 중요한 것은 물이다. 마실 물만 충분하다면 사막에서도 몇 주 정도는 버틸 수 있다. 하지만 물을 확보하지 못할 경우 아무리 의지가 굳고 용감하고 정신력이 강한 사람이라도 단 며칠 안에 목숨을 잃기 십상이다.

나는 사막 훈련의 파트너였던 찰리 바셋과 낙하산을 타고 사막에 착륙했다. 모래 온도는 섭씨 64도였다. 우리는 모래언덕의 옆을 파내고 그늘 안에 들어가 있었다. 입을 옷도 낙하산을 찢어서 직접 만들었다. 낙하산은 나일론 재질로 되어 있어 바지나 상의는 물론이고 침낭과 텐트도 만들 수 있었다. 찰리와 나는 모자와 길고 하늘하늘한 드레스를 만들어 아랍인들의 모습을 흉내 냈는데 사실 내가 생각한 것은 엄마의 파티복을 훔쳐 입고 들떠 있는 귀여운 꼬마의 모습이었다. 어쨌든 그 옷들은 작열하는 햇볕으로부터 우리 몸을 보호해 피부에서 수분이 증발하는 속도를 늦춰주었다. 사막처럼 물을 마시지 못하는 상황에서는 몸에 있는 수분이 빨리 증발할수록 죽음의 시간도 한층 더 빨리 다가온다. 우리는 아주 소량의 물을 가지고 있었는데 훈련이 끝나고서 드디어 '구조'되어 문명 생활로 돌아왔을 때는 심한 갈증에 시달리고 있었다. 이 경우의 문명이라 함은 네바다 주의 리노 시를 말한다.

그 당시에 내가 누리는 대부분의 문명 생활은 텍사스 주의 휴스턴에서 이루어졌지만 중간중간에 사막과 정글 말고도 많은 곳을 여행할 기회가 있었다. 제미니와 아폴로 계획에 사용될 우주선의 여러 부품을 만드는 미주리 주 세인트루이스의 공장도 그중 하나였다. 휴스턴과 그곳은 뉴욕과 캘리포니아만큼이나 멀리 떨어져 있다. 그 우주선들에 대해서는 이미 휴스턴 기지에서 많은 공부를 해둔 터였지만 이제는 그 부품들이 조립되는 과정을 직접 눈으로 확인하면서 설계자들과 대화를 나눌 때라고 판단했다.

우주선은 '청정실' 혹은 '무균실'이라고 불리는 특별한 곳에서 조립한다. 그 방의 관리인들은 단 하나의 먼지도 들어오지 못하도록 각별한 주의를 기울인다. 유입되는 모든 장비들은 세심한 소독과 먼지 제거 과정을 거친다. 이렇게 예방조치를 철저하게 하는 것은 우주선의 모든 부품이 절대로 고장을 일으키지 않는 완벽에 가까운 성능을 유지해야 하기 때문이다. 어떤 것은 사람의 털만큼 작은 이물질이 달라붙어도 기능의 오류를 일으킬 만큼 예민하다.

이러한 청정실의 청정을 유지하는 데에 있어 가장 어려운 과제는 아무리 샤워를 한다고 해도 절대로 깨끗해질 수 없는 '사람'으로부터의 오염을 막는 일이다. 그들의 신발에는 흙이 묻어 있고 옷에서는 보풀이 일어나 섬유조각을 풀풀 날리며 게다가 머리카락은 언제 빠지는지도 모르게 이곳저곳에서 떨어진다. 하지만 아이러니하게도 그 더러운 사람들로부터 보호되어야 할 청정실의 내부는 우주선 건조 작업을 하는 '사람'들로 가득 차 있다. 그렇다면 해결 방법은 그들을 완전히 포장해버리는 것이다. 신발은 플라스틱 부츠에 숨기고 몸은 보풀이 일어나지 않는 흰색 낙하산용 나일론으로 감싸며 머리에는 나일론 모자를 쓰고 손에는 장갑을 낀다.

우리 신참 조종사들은 흰색의 미라처럼 온몸을 가린 채 세인트루이스의 맥도넬 공장에서 만들어지고 있는 제미니 우주선을 처음으로 만났다. 나는 그들이 각각의 기계에 쏟는 세심함과 주의에 감탄했다. 비행기를 건조할 때도 극도의 주의가 필요했는데, 세인트루이스의 청정실에서 본 신중함에 비하면 아무것도 아니었다. 특히 우주선 내부까지 볼 수 있었던 것은 큰 도움이 되었다. 그동안 책으로만 익혀온 기계를 직접 눈으로 확인하고 만져봄으로써 복잡하게 얽혀 있는 각각의 부품이 어떤 역할을 하는지 알 수 있었다. 우리는 또한 우주선을 설계한 기술자들과 얘기를 나누었고 개선점에 대한 의견도 교환했다.

그곳 공장에 근무하는 사람들은 우리 신참 조종사들을 만나고 싶어 했고 우리의 사인을 받고 싶어 했다. 우리는 어느새 유명인사가 되어 있었던 것이다. 사인용지로 가장 많이 이용된 것은 지폐였다. 나는 사람들이 내 사인을 받은 지폐를 어떻게 했는지 모르지만(아마도 쓰지 않고 보관했을 테지만), 누가 나에게 사인을 부탁하면 언제나 약간 당황했다. 특히 이미 우주여행을 해본 존 글렌이나 다른 다섯 명의 우주인이 사인을 한 지폐에 다시 내 사인을 부탁받을 때는 더욱 그랬다. 사실 소련에서는 우주 비행 경험이 있는 사람만 우주인으로 인정한다. 나는 그렇게 하는 것이 합당하다고 생각했다.

물론 우주인을 만나고 싶어 하는 사람들은 그 공장뿐만이 아니라 전국 어디에나 있었다. 나사는 그에 부응해 우리 우주인들을 전국 곳곳으로 보내 제미니 계획과 아폴로 계획에 대해서 연설과 설명을 하고 질문에 대답하도록 했다. 나사는 그렇게 함으로써 우주 개발 계획을 국민들에게 알리고자 했다. 일명 홍보활동이었다. 홍보활동은 보통 일주일 동안 여섯 개 정도의 도시를 방문하는 일정으로 짜여 있었다. 정말로 피곤한 일이었다. 사람들을 만나고 이야기를 나누는 것이 그렇게 힘든 일인 줄 몰랐다. 어찌나 피곤했던지 처음 홍보활동을 다녀와서는 테스트 파일럿의 자리로 되돌아가고 싶을 정도였다. 연설보다는 그 임무가 훨씬 편하게 느껴졌기 때문이다. 판에 박힌 질문들에 답변하는 것도 고역이었다. "우주에서는 어떻게 대소변을 보나요?" ("지구에서와는 살짝 다른 방법을 사용합니다.") "당신이 우주 비행을 하고 있는 동안 당신의 부인은 어떤 생각을 하고 있을까요?" ("잘 모르겠습니다.") "어떤 계기로 우주인이 되기로 결심했나요?" ("내가 이렇게 많은 연설을 해야 하는 줄은 몰랐기 때문입니다.")

피곤한 홍보활동 중에도 최소한 한 가지는 좋은 점이 있었다. 그것은 T-38 제트 훈련기를 타고 이동하는 것이었다. 목적지로 가는 민항기를 기다리는 대신에 우리는 각자의 스케줄에 맞춰 자신의 제트기를 이용했다. 무중력 상태에서의 우주선 비행과는 차이가 있지만, 그런 비행을 통해서 우리의 뇌와 신체를 비행기의 회전과 선회에 익숙해지게 만들 수 있었다.

T-38기는 정말로 멋진 비행기다. 매끄럽고 호리호리한 동체를 자랑하는 이 비행기의 최대 속도는 시속 1300킬로미터인데, 격납고에 가만히 서 있을 때도 마치 시속 600킬로미터로 날아가고 있는 듯한 착각이 든다. 이 기종은 또한 방향타, 보조 날개, 승강타(비행기 뒷날개에 달려있는 키. 비행기가 뜨고 내릴 때 비행기를 안정되게 유지하는 기능을 한다)와 연결된 강력한 유압(油壓) 피스톤을 가지고 있어 조종간을 잡고 있는 손이나 방향타에 얹어놓은 발을 아주 조금만 움직여도 비행기가 즉시 반응을 보이기 때문에 제트기 조종의 쾌감을 만끽할 수 있다. 예를 들면 1초 안에 360도 에일러론 회전(aileron roll: 수평 비행

도중에 옆으로 한 번 회전하고 다시 수평 비행을 계속하는 특수 비행, 횡전이라고도 함)을 할 수도 있다. 즉, 조종사가 오른쪽 손을 단 몇 센티미터만 움직여도 위에 있던 하늘이 밑으로 내려가고 땅이 위로 올라갔다가 곧바로 다시 제자리로 돌아오는 회전을 경험할 수 있다. 이 모든 과정은 1초 이내에 이루어진다. 비행학교를 갓 졸업한 조종사들과 달리 경험이 많은 조종사들은 기수가 흔들리지 않게 부드러운 회전을 할 수 있고 회전 후에도 양쪽 날개가 수평을 유지하면서 원래의 위치로 정확히 돌아오게 할 수 있다. 회전뿐만 아니라 공중제비(loop-the-loop: 비행기가 앞뒤 방향으로 360도 회전하는 운동)도 할 수 있지만 시간이 오래 걸려서 회전만큼의 쾌감을 느끼지는 못한다. 또 제트기 조종사들은 수직 방향의 적운(積雲) 사이를 오르내리며 구름과 숨바꼭질을 즐기기도 한다. T-38기 같은 제트기만 있다면 아무도 없는 고요한 하늘 저 위에서 여러 가지 짜릿한 경험을 할 수 있다.

2차 세계대전 때 열아홉 살의 나이로 비행 훈련 중에 목숨을 잃은 존 길레스피 매기 2세라는 파일럿이 쓴 '고공비행'이라는 시 한 편을 소개한다. 비행에 대해 내가 아무리 설명을 한들 이 시보다 못할 것이다.

아, 투박한 땅의 굴레에서 살포시 미끄러져
은색의 웃음소리 날개와 함께 춤추나니
대지를 박차 오르고 구르며 태양의 품을 향해

햇빛 머금은 구름 위 몸부림치는 환희에 어우러져

고요의 빛 휘휘 둘러 입고

상상조차 품지 못한 무엇이고 할 수 있나니

비웃는 듯 고함치는 바람을 좇아

미지의 광활한 창공으로 비행기와 함께 달려가

미답의 허공으로 나의 조종술을 격렬히 들이민다.

끝 모르는 푸른빛이 미친 듯 작열하는 고공을 향해

종달새도 독수리도 오르지 못한 높디높은 그곳에서

나는 시원한 바람으로 편안한 영광을 누리나니

지상의 기억은 고요함에 쫓겨 저 멀리 사라져

그 누구도 넘보지 못한 거룩함의 공간에서

나는 손을 뻗어 신의 얼굴을 느껴본다.

14명의 신참 우주인,
지금은 임무 수행 중

정글과 사막과 교실에서의 모든 훈련 과정을 성공적으로 마친 우리 제3그룹 14명은 드디어 현장에 투입되었다. 조종사실의 책임자인 앨런 셰퍼드는 우리 각자에게 책임을 져야 하는 전문 분야를 할당해주었다. 버즈 올드린*은 임무 계획 수립을 맡아 그와 관련된 모든 회의에 참석해야 했다. 1964년 당시 우리는 달 여행 준비를 위한 지구 궤도 비행을 몇 회나 시행할지를 결정하지 못하고 있었다. 버즈 올드린이 이러한 비행 계획을 수립하는 책임을 맡게 된 것이다. 그가 직면한 가장 큰 문제는 달 착륙을 시도하기 이전에 얼마나 많은 종류의 랑데부(두 개의 인공위성 가운데 하나를 다른 하나에 접근하도록 조정하여 동일 궤도에 들어가서 함께 비행하게 하는 일. 1965년에 미국의 제미니 6호와 7호가 처음으로 성공했다.)를 연습해야 하느냐는 것이었다. 달에 착륙한 두 명의 우주인이 임무를 마치고 지구로 안전하게 귀환하는 유일한 방법은 달의 궤도를 돌면서 기다리고 있는 사령선과의 랑데부에 성공하는 방법 외에는 없었다. 이를 위해서는 랑데부의 고도와 속도 그리고 착륙선과 사령선의 상대적 위치 등 예상되는 모든 경우에 대한 검토와 계산이 필요했다.

빌 앤더스에게는 우주선에 필요한 각종 공급 장치와 관련된, 그 이름도 거창한 환경 조절 시스템을 관할하는 임무가 주어졌다. 우주선의 파이프 중에는 호흡에 필요한 산소를 공급하는 것도 있고 식수나 우주선의 냉각에 쓰이는 물을 공급하는 것도 있다. 또 그에 따르는 많은 송풍기와 펌프와 저장 탱크와 기타 장치들을 설치해야 한다. 빌은 이 모든 것들을 이해해야 했다. 예를 들어 지구와 달 사이를 비행하는 우주선에서는 밤이 없이 계속 낮이 이어진다(여기서 ‘밤’이란 우주선과 태양 사이에 지구가 있어서 우주선이 있는 쪽이 어두워진다는 뜻이다). 만일 우주선이 그 상태로 계속 비행을 한다면 태양빛을 받는 면의 온도는 너무 올라가고 반대쪽 그늘진 부분의 온도는 너무 내려간다. 이것이 우리가 우려하는 점이었다. 그래서 지구와 달 사이를 비행하는 우주선은 마치 바비큐용 그릴 위에서 돌아가는 닭고기처럼 진행 방향과 수직으로 회전하면서 태양빛을 우주선 전체에 골고루 분산시켜야 한다.

찰리 바셋이 연구해야 하는 분야는 시뮬레이터였다. 시뮬레이터는 우주인이 실제 우주선을 조종하는 법을 익히고 연습할 수 있도록 만들어진 우주선과 똑같은 모형을 말한다. 만일 이러한 시뮬레이터 훈련 없이 비행을 할 경우 수많은 실수를 저지르게 될 것이다. "연습을 통해 완벽해진다"라는 속담도 있지 않은가. 아직도 내가 우주선 조종을 100퍼센트 완벽하게 할 수 있다고 믿지 않지만, 만일 시뮬레이터 안에서 했던 수백 시간의 훈련이 없었다면 우주선 조종은 감히 생각하지도 못했을 것이다. 시뮬레이터 안에서는 아무런 부상을 입지 않고도 수백 번 수천 번 충돌하고 추락할 수 있다. 하지만 그런 사고가 실제 우주선을 탄 상태에서 단 한 번이라도 일어난다면 승무원들에게는 처음이자 마지막 사고가 될 것이다.

앨 빈*에게는 귀환 체계에 대한 연구 임무가 주어졌다. 그는 우주에서 귀환하는 우주선을 바다에 서서히 내려앉게 할 낙하산, 승무원들이 선체에서 안전하게 빠져나와 헬리콥터로 옮겨 탈 수 있도록 잠수부들이 선체를 끌어올리는 방법, 우주선을 인양해서 수송기에 싣기까지의 과정에 대한 모든 것을 이해하고 검토해야 했다. 앨 빈은 비행기를 실은 수송선을 야간이나 악천후에서도 조종해본 경험이 풍부한 공군 비행사 출신이다.

유진 서난*은 우주선 로켓 엔진의 추진력에 관해 연구하는 임무를 맡았다. 아폴로 계획의 달 착륙선에는 두 개의 엔진이 있다. 하나는 착륙선이 달 표면에 서서히 내려앉도록 하강 속도를 늦추기 위한 것이고 또 하나는 달 표면에서의 임무를 마친 후에 모선과 다시 합치기 위해 달 궤도로 진입하기 위한 이륙용이다. 또 우주선 바깥쪽에는 두 개씩 짝을 이루는 작은 로켓 모터가 여러 개 설치되었는데 우주선이 진행 방향을 바꿀 때 아주 잠깐씩 사용되었다.

로저 채피*의 임무는 통신 시스템, 즉 우주선과 지상의 모든 무선 장치와 안테나에 관한 것이었다. 우주선과 지상의 교신을 위해 세 개의 주요 기지국이 스페인과 호주와 캘리포니아에 세워졌다. 누구라도 지구본을 돌리면서 살펴보면 어떤 위치에서도 스페인과 호주와 캘리포니아 중에서 한 지점을 볼 수 있다. 그러므로 지구가 자전을 하더라도 달을 오가는 우주선과 달 표면에서는 우주선의 방향에 있는 지점이 어떤 기지국이라고 하더라도 항상 휴스턴과 무선 교신이 가능하게 된다. 지구와 우주선과의 교신뿐만 아니라 모선과 달 착륙선 등 우주선 간의 교신도 중요했기 때문에 로저는 또한 우주선에서 사용 가능한 모든 종류의 무선에 대해서 연구하며 각각의 기능에 가장 알맞은 무선 교신의 종류를 찾아내야 했다.

월트 커닝엄*은 매우 복잡한 분야인 전기 시스템에 대한 연구를 맡았다. 아폴로 우주선은 배터리와 연료전지라는 두 가지 공급원에서 전기를 얻도록 설계되었다. 배터리는 자동차나 플래시에서 많이 볼 수 있지만 연료전지는 흔치 않아서 우리 모두 그것에 대해 아는 게 거의 없었다. 중고등학교 과학 시간에 물(H_2O)에 전류를 통과시켜서 수소(H)와 산소(O) 기체로 분리하는 실험을 해보았을 것이다. 연료전지는 그 반대의 과정을 거친다. 즉, 수소 두 분자와 산소 한 분자를 반응시키면 물이 생성되는데 이때 발생하는 에너지를 사용하는 것이다. 연료전지는 정말 유용하다. 발생하는 물을 식수로 사용할 수 있고, 이때 발생하는 에너지로 우주선의 장치를 작동시킬 수도 있다. 게다가 발전 시설과 식수 시설을 따로 갖추었을 때보다 무게도 훨씬 가볍다. 연료전지를 사용하기 위해서는 지상에서 수소와 산소를 냉각시켜 액체로 만든 후에 큰 보온병처럼 생긴 절연 탱크에 담아 우주선에 보관해야 한다. 산소를 기체에서 액체로 만들기 위해서는 온도를 엄청나게 낮추어야 하는데(섭씨 영하 183도) 그 온도도 수소가 액체가 되는 온도에 비하면 8월에 불어오는 바람처럼 따뜻하다고 할 수 있다. 수소의 액화 온도는 무려 섭씨 영하 253도다.

돈 에슬레는 자세 제어기와 추력 제어기를 연구하는 임무를 맡았다. 그것들에 대해 간단하게 설명하는 것은 매우 어렵다. 기본적으로 우주선의 자세 제어기는 비행기의 조종간, 추력 제어기는 비행기의 스로틀에 해당한다고 할 수 있다. 하지만 비행기에서보다는 훨씬 더 복잡한 기능을 한다.

예를 들어, 스로틀은 한 방향으로 이동하는 비행기의 속도를 제어할 수 있는 반면 추력 제어기는 우주선이 어떤 방향으로도 속도를 바꿀 수 있게 해준다. 계기판에 붙어있는 이 손잡이로 우주인들은 우주선의 앞은 물론 좌우, 위아래로 속도를 조절할 수 있다. 이 손잡이를 왼손으로 잡고 우측으로 당기고 있으면 우주선 좌측에 부착된 로켓이 작동해서 우주선이 우측으로 움직인다. 누르는 시간에 따라 속도가 조절된다.

자세 제어기는 비행기의 조종간 끝부분과 같은 모양이고 오른손으로 조작할 수 있는 위치에 있다. 조작법은 비행기와 거의 흡사하다. 기수가 기준 수평선보다 위나 아래로 움직일 경우 제어기를 당기거나 밀어 수평을 유지한다. 제어기를 좌우로 움직여 좌우 수평을 맞출 수도 있다. 그런데 비행기에는 있는 방향 페달이 우주선에는 없다. 우주선에서는 그 기능을 자세 제어기가 하기 때문이다. 우주선의 기수를 오른쪽이나 왼쪽으로 돌리려고 할 때, 비행기에서는 오른쪽이나 왼쪽 페달을 밟지만 우주선에서는 자세 제어기를 시계 방향이나 시계 반대 방향으로 회전시킨다.

만일 여러분이 우주선에 타 있고 왼손을 추력 제어기에, 오른손을 자세 제어기에 올려놓았다면 일단 우주 비행 준비는 완료되었다고 봐도 된다.

이제 여러분은 달의 궤도를 비행하는 사령선을 조종하면서 지구로 귀환하는 달 착륙선과의 도킹을 앞두고 있다. 일단 착륙선의 위치를 확인해야 한다. 그리고 오른손으로 자세 제어기를 회전시켜 착륙선이 정확히 정면에 오도록 한다. 이번에는 왼손을 이용해 알맞은 속도로 착륙선에 접근한다. 오른손으로는 기수를 계속 상하좌우로 조종해 두 우주선이 정확히 일직선을 이루도록 하면서 왼손으로는 서서히 속도를 줄여나간다. 이제 기수를 착륙선의 도킹 링에 정확히 일치시킨다. 무척 간단하지 않은가? 아! 도킹할 때 충격이 너무 크면 해치가 파손될 수도 있다는 걸 항상 명심해야 한다!

테드 프리먼*은 부스터 전문가였다. 부스터는 발사용 로켓, 혹은 로켓이나 미사일로 불리기도 했다. 어떤 명칭이 가장 적절한지는 모르겠지만 우리는 보통 부스터라고 불렀다. 그중 가장 큰 것은 달 비행에 쓰였던 새턴 5호다. 새턴 아이비(IB)호는 그보다 작아 아폴로 계획의 지구 궤도 비행에 이용되었다. 그리고 그보다도 더 작은 꼬마 타이탄 2호는 제미니 우주선들의 궤도 진입에 사용되었다. 하지만 꼬마라는 말은 다른 부스터에 비유한 표현이고 우리가 지상에서 사용하는 다른 기계들에 비하면 거인이라고 부르기에 충분하다. 타이탄 2호에는 두 개의 엔진이 달려있고 각 엔진의 추력은 100톤에 가깝다.

100톤의 추력이 어느 정도인지 언뜻 감이 오지 않을 테니 다른 예를 들어보겠다. 정지해 있는 자가용에 100톤의 추력을 가한다면 차고를 벗어나기 전에 시속 300킬로미터까지 가속이 되고 이후로 한 시간 이상을 달릴 것이다. 하지만 이건 어디까지나 제일 힘이 약한 꼬마의 성능일 뿐이다. 가장 큰 부스터인 새턴 5호의 추력은 3,500톤에 달한다. 초당 15톤의 연료를 소비하는 셈이다. 이 정도 속도라면 일반적인 크기의 수영장에 가득 찬 연료를 비우는 데 단 7초면 충분하다. 테드 프리먼이 가장 걱정한 것도 이런 점이다. 그는 이 괴물 같은 부스터가 우주선을 산산조각 낼지도 모른다고 생각했다. 실제로 몇 기의 무인 우주선이 부스터의 희생양이 된 적은 있지만 다행히 유인 우주선에서는 한 번도 그런 사고가 일어나지 않았다.

딕 고든*의 임무는 조종석 통합이었다. 즉, 조종사에게 필요한 정보가 알맞은 시간에 알맞은 위치에서 전달되도록 조종석의 모든 다이얼과 기기와 스위치의 배치를 최적화하는 작업이었다. 우주선이 발사될 때나 지구 대기에 진입할 때는 중력의 6~8배까지 힘이 가해진다. 따라서 조종사가 기기를 조작하는 데에도 그만큼의 힘이 더 필요하다. 그래서 이때 필요한 우주선의 스위치들은 가장 잘 보이고 양손에서 가까운 곳에 위치해야 한다.

러스티 슈바이카르트*에게는 제미니와 아폴로 우주선에서 수행할 실험을 계획하고 관리하는 임무가 맡겨졌다. 달 비행 자체가 굉장한 실험이기 때문에 아폴로 계획에는 그다지 많은 실험이 계획되지 않았다. 하지만 지구 궤도에만 머무르는 제미니 계획에서는 되도록 다양한 실험을 시도했다. 이 중 많은 실험이 카메라의 성능, 그리고 해와 달과 지구의 사진 촬영과 관련되어 있었다. 넓은 고무 밴드를 잡아당기는 운동을 하며 심박수가 평소의 2배가 되기까지 소요되는 시간을 측정하는 의학 실험도 했다. 어떤 실험에서는 우주인이 수면을 취할 때의 뇌파를 기록하기 위해 머리카락 일부를 삭발하고 두피에 전기 센서를 부착하기도 했다. 비록 우리 대부분은 이 실험을 터무니없고 바보 같은 것이라고 생각했지만 말이다.

내가 한 것 중 가장 복잡한 실험은 여러 별과 지구의 지평선이 이루는 각을 측정하는 것이었다. 우리는 이 각을 이용해서 우주선의 현재 위치를 알아내고 아제나 위성과의 랑데부를 위해 얼마만큼의 궤도 수정이 필요한지를 계산했다.

데이비드 스콧°의 임무는 유도(guidance)와 항법(navigation) 시스템을 연구하는 것이었는데 우리는 줄여서 G&N이라고 부른다. 아폴로의 유도 항법 시스템은 지구로부터 떨어진 거리, 속도 등을 종합해 우주선의 현재 위치를 우주인들에게 계속해서 알려주었다. 또 우주선의 항로 변경은 정확한 예정 시각에 이루어져야 했기 때문에 유도 항법 시스템에는 굉장히 정밀한 시계가 포함되어 있다. G&N 시스템에는 별을 바라보며 지구나 달의 지평선과 이루는 각을 측정할 수 있는 육분의(sextant, 六分儀, 두 점 사이의 각도를 정밀하게 측정하는 광학기계)도 포함된다. G&N 시스템은 우주선에 장착되는 기기 중 가장 복잡하고 정교한 장치인 만큼 연구에 많은 시간과 노력이 필요했다. 그 모든 것을 이해하면서 연구를 진행했던 데이비드 스콧을 우리는 천재라고 불렀다.

C. C. 윌리엄스°는 제반 안전사항, 특히 승무원의 안전을 위한 장치들을 고안하는 임무를 맡았다. 만일 케이프케네디 기지에서 발사된 무인 로켓이 예정된 항로를 벗어나 지상의 도심이나 기타 인구 밀집 지역에 추락할 위험이 예상될 경우 지상의 관제 요원은 로켓을 공중 폭파시켜야 한다. 이 과정은 지상에서 버튼 하나만 누르면 되는 아주 단순한 조작으로 이루어진다. 하지만 무인이 아닌 유인 로켓이 발사되었을 때 그런 상황이 발생한다면 해결하기가 쉽지 않다.

이때 지상의 관제요원은 로켓에 탑승 중인 승무원들과 긴밀하고도 완벽하게 합의를 해야 한다. 즉, 아주 미세한 이상이라도 발견되면 관제소에서는 즉시 승무원들에게 알려주어 그들이 가능한 한 많은 '시간적 여유'를 확보할 수 있도록 해야 한다. 그 시간을 이용해 승무원들이 문제를 해결할 수도 있지만, 해결이 불가능하다고 판단될 경우에는 지상에서 폭파 버튼을 누르기 전에 부스터로부터 모듈을 분리해 최대한 멀리 탈출해야 한다. 그렇게 할 시간적 여유가 없다면 지상이나 승무원 둘 중 하나가 위험한 상황에 놓이게 된다.

마지막으로 나에게는 우주복 및 선외 활동과 관련된 임무가 주어졌다. 프레셔 수트(pressure suits)보다는 스페이스 수트(space suits)로 더 많이 알려진 우주복은 우주인들이 우주에서 착용하는 옷을 말한다. 선외 활동은 우주선의 외부에서 수행하는 임무와 관련된 모든 활동을 뜻한다.

지구 궤도에서의 선외 활동은 우주 유영(space walking)이라고 불리지만 실제로 우주를 걸어 다니는 일은 불가능하다! 굳이 명칭을 붙이자면 우주에서의 떠다님 혹은 줄에 매달리기 정도가 정확할 것이다. 선외 활동을 하는 우주인은 우주선과 연결된 생명줄에 의존해 우주를 떠다니며 임무를 수행하기 때문이다.

사실 이 임무는 내가 맡겠다고 나섰다는 표현이 더 맞다. 내가 자청한 데에는 몇 가지 이유가 있다. 첫째, 우주복에 대한 연구에 무척 흥미를 느꼈기 때문이다. 둘째, 다른 동료들이 맡은 임무를 해내기에는 나의 수학적 지식이 부족했기 때문이다. G&N 시스템 같은 복잡하고 어려운 임무를 맡게 될까 겁을 먹었을지도 모르겠다. 하지만 세상에 공짜는 없는 법! 나는 두뇌 활동을 회피한 대가로 많은 육체적 고통을 감수해야 했다.

우주복은 어떤 기능을 하고 왜 우주인들은 그 거추장스러운 옷을 입어야만 하는 것일까? 우주에 공기가 없다는 것이 가장 큰 이유다. 즉, 우주는 진공 상태이기 때문에 사람이 호흡을 하는 데 필요한 산소가 없다. 진공 상태는 공기가 없다는 것뿐만 아니라 우리 몸에 압력을 가하는 대기압이 없다는 뜻이기도 하다. 그렇게 되면 신체 내부의 액체들은 모두 기체화된다. 혈액은 말 그대로 거품으로 변하고 결국은 목숨을 잃을 것이다. 우주복을 압력복(pressure suit)이라고도 부르는 것은 바로 이 때문이다. 우주복은 신체에 압력을 가해야 한다. 압력을 만들기 위해 우리가 사용한 기체는 산소였다. 산소는 신체를 보호할 뿐만 아니라 우주인의 호흡에도 사용되는 일석이조의 기능을 한다. 압력과 온도가 적절한 산소가 지속적으로 유지될 수만 있다면 우주인은 임무를 수행하기 위해 우주선 밖으로 나가는 모험을 감행할 수 있을 것이다.

하지만 산소의 온도와 압력을 유지할 수 있다고 해서 모든 문제가 해결되는 것은 아니다. 우주선의 해치를 열고 우주로 뛰어들기 위해서는 아직 해결해야 할 문제가 몇 가지 남아있다. 그중 하나가 우주복의 두께다. 태양빛의 뜨거운 열기와 그 반대편의 지구로 그늘진 우주 공간의 엄청난 한기로부터 우주인을 보호하기 위해서는 우주복이 충분히 두꺼워야 한다. 또한 우주복은 미세 운석의 충격을 견뎌내어 압력을 잃지 않을 만큼 강해야 하며 섬유구조가 치밀하고 질기고 가벼워야 한다. 후유, 아직 끝난 것이 아니다. 그보다 더 어려운 문제는 유연하고 이동에 큰 불편이 없어야 한다는 점이다.

자전거 튜브를 생각해보자. 바람을 넣지 않은 튜브는 유연하고 부드럽게 움직인다. 바람을 넣어 단단하고 완벽한 원 모양이 된 후에는 바퀴와 림(바퀴의 테를 이루는 고리 모양의 부분) 사이에 고정시켜 모양을 유지하고 펑크가 나지 않도록 해야 한다. 우주복도 비슷한 방법으로 만들어진다. 우주복 안쪽에는 얇고 부드러운 고무로 된 자전거 튜브와 같은 역할을 하는 공기주머니가 있다. 그 공기주머니를 감싸 모양을 유지시켜주는 바깥층은 사람의 신체와 똑같은 모양을 하고 있다. 그리고 미세 운석의 충격과 태양의 열기를 막아주는 가장 바깥층이 우리가 겉에서 보는 우주복의 외형이다.

문제는 자전거 튜브와 다르게 우주복은 모양의 변화가 자유로워야 한다는 것이다. 우주인이 관절을 굽히면 굽은 모양이 되어야 하고 상체를 회전하면 따라서 회전해야 한다. 물론 그러면서도 완벽한 보호 기능을 유지해야 한다. 산소를 주입하지 않은 우주복을 입고 몸을 움직이는 것은 바람을 넣지 않은 자전거 튜브를 움직이는 것만큼 쉬운 일이다. 그러나 우주복에 산소를 주입해 팽창시킬수록 무릎이나 팔목이나 어깨를 굽히고 회전하는 동작이 어려워진다. 우주복 설계자는 그런 문제를 극복하면서도 안전성과 보호 기능을 겸비하도록 한다는 면에서 기술자인 동시에 마술사라고도 할 수 있다.

이러한 문제들을 해결하기 위해 사투를 벌이는 기술자들과 함께 연구를 진행하는 것은 큰 즐거움이었다. 그리고 여러 종류의 우주복과 백팩과 체스트팩(우주복의 앞쪽[chestpack]과 뒤쪽[backpack]에 부착되어 여러 장치를 담는 일종의 배낭)은 휴스턴이 아닌 코네티컷, 캘리포니아, 델라웨어, 매사추세츠 등 멀리 떨어진 지역에서 만들어지기 때문에 여행을 많이 해야 했다. 그곳에서 1차로 생산되는 제품들은 모두 내 신체 규격에 맞게 제작되었다. 나는 그 제품들을 착용해보고 편안함, 신뢰도, 운동성 등을 체크했다. 이와 관련된 회의와 테스트를 위해 전국 곳곳을 누비기도 했다. 하지만 교육생 시절에 전국을 돌며 홍보활동을 했던 것에 비하면 덜 힘든 편이었다.

훈련은 재미있는 과정도 있었지만 지루하고 힘든 과정도 꽤 있었다. 그중 하나가 무중력 실험이었다. 실제로 우주복을 입는 공간은 무중력 공간이나 달 표면처럼 중력이 약한 곳이다. 그래서 테스트 중 많은 부분을 무중력 상태에서 수행했다. 무중력 상태에 대한 시뮬레이션이 필요할 경우 우리는 보잉 KC-135기를 이용했다. 좌석을 모두 빼내고 벽면에 쿠션이 있는 패드를 붙였다는 것 말고는 민간 항공사에서 운항하는 비행기와 같았다. KC-135기 조종사는 비행기를 급강하하면서 속도를 높이다가 기수를 꺾어 가파르게 급상승한다. 그러고는 다시 기수를 내려 포물선 모양의 완만한 호를 그리며 하강한다. 그러면 기내에 있는 우리는 약 20초간 무중력 상태를 경험하게 된다. 우리는 이 짧은 시간 안에 훈련을 완료해야 했다. 그중 가장 고생스러웠던 일은 우주 유영을 마쳤다고 가정한 상태에서 제미니 우주선의 조종석으로 돌아가 머리 위에 있는 해치를 닫는 훈련이었다.

제미니 우주선은 아주 작고 좁고 게다가 무중력 상태이기 때문에 나는 마치 포도주병의 코르크 마개처럼 조종석 밖으로 튕겨 나가곤 했다. 우주선에 다리를 집어넣은 후에는 해치를 닫기 위한 공간을 확보해야 했고 그러려면 작은 조종석에 몸을 밀어 넣어야 했다. 이때 몸을 구부려야 했는데 우주복을 입은 채 몸을 구부리는 동작은 젖 먹던 힘까지 다 쏟아도 실패하기 일쑤였다.

보통의 경우에 우리는 KC-135기 1회 비행에 40~50번의 무중력 실험을 했다. 처음 몇 번은 아주 재미있었다. 특히 우주복을 입을 필요가 없을 때는 맨몸으로 하늘을 나는 듯한 재미에 시간 가는 줄 몰랐다. 한번은 슈퍼맨 옷을 입고서, 불쌍한 악당의 표정을 짓는 다른 두 명의 동료를 양손으로 들어 올려 공중에 내던지는 사진을 찍기도 했다. 슈퍼맨도 악당도 모두 무중력 상태에 있었기 때문에 전혀 어려운 일이 아니었다.

하지만 어느 때부터인가 KC-135기에 탑승하는 것이 아주 피곤한 일이 되었다. 일단 우주복 내부가 너무 더웠다. 격렬한 무중력 훈련을 몇 번 하고 나면 숨 쉬기조차 힘들고 온몸이 땀에 젖는다. 가끔은 무언가에 갇혀있어서 어서 빠져나가야 한다는 강박에 사로잡히는 밀실공포증을 느끼기도 했다. 하긴 내가 우주복 안에 갇혀있다는 것은 틀림없는 사실이었다. 호흡하기에 충분한 양의 상쾌한 공기가 없다고 느낄 때는 약간의 공황 상태에 빠지는 일도 잦아졌다. 그럴 때면 신선한 공기를 마시기 위해 헬멧의 바이저를 올리곤 했다. 지구에서야 괜찮지만, 우주 공간에서 바이저를 올린다는 것은 우주복의 압력이 낮아져 목숨을 잃게 된다는 것을 뜻한다. 그래서 그 습관 때문에 걱정이 많았다.

KC-135기를 이용한 무중력 훈련에서 발생하는 또 하나의 문제는 수평 비행과 포물선 비행의 반복으로 느끼는 구토 증세였다. 그나마 나는 예전의 훈련을 통해서 적응한 상태였지만 기술자와 사진 기사들이 괴로워하는 모습을 볼 때면 덩달아 나도 배 속이 뒤틀리며 메스꺼움을 느꼈다. 그 증상이 계속 심해져서 나중에는 'KC-135'라는 말만 들어도 배 속이 비비 꼬이며 뒤로 2회전 공중제비를 돌곤 했다.

KC-135기보다 더 심한 두 번째 고통의 공간은 일반적인 실험실에서 사용하는 원심분리기를 응용해서 만든 원심기였다. 이것은 로켓 발사나 지구 진입 시에 인체가 느끼는 가속도를 체험하도록 만들어진 훈련 장비다. 위에서 설명했듯 무중력 상태는 그 조건을 만들기도 어렵거니와 기껏해야 1회에 20초 정도 지속될 뿐이다. 그러나 그 반대의 조건, 즉 가속도로 인해 중력이 몇 배나 증가하는 이러한 조건을 체험하는 방법은 아주 간단하고 그 지속 시간도 원하는 만큼 조절할 수 있다.

우리가 보통 '뺑뺑이'라고 부르던 원심기는 단순히 사람을 태우고 원 모양으로 회전하는 기능만 있었고 사실 그 이상의 기능은 필요하지도 않았다. 훈련과 장비 테스트용으로 사용되던 원심기는 큰 전기모터와 약 15미터 길이의 회전 팔과 그 끝에 달린 모의 우주선으로 구성되어 있었다. 특별히 설계된 원형의 실험실에 설치되어 있었고 모든 작동은 컴퓨터로 제어했다. 속도를 높일수록 우주인이 앉아 있는 의자에 가해지는 원심력은 더 커지고 느끼는 무게감 또한 증가한다. 다양한 비행 조건에서 우주인이 접하게 될 하중을 수치로 입력하면 컴퓨터가 자동으로 회전 속도를 계산하여 회전 팔을 회전시켰다. 그 조건 중 최악은 발사된 로켓이 궤도에 진입하기 전에 엔진이 멈추는 것인데 이때는 지상으로 끌려 내려가는 듯 힘이 들었다.

우리는 예견되는 다양한 비상사태에 대비해 최고 15G까지의 모의 훈련을 했다. 15G는 가령 몸무게가 75킬로그램인 내가 그 15배인 1125킬로그램의 하중을 앞쪽에서 받게 된다는 것을 의미한다. 1톤이 넘는 엄청난 하중이다. 15G 훈련은 생각만 해도 끔찍하다. 사실 나는 8G 정도만 되어도 불편함과 함께 가슴 중앙부에 통증을 느끼기 시작했다. 10G가 넘어가면 숨 쉬기조차 힘들어진다. 문제는 숨을 내쉬어서 폐의 공기를 밖으로 내보내기는 아주 쉬운데 가슴 근육을 확장시켜 숨을 들이마시기는 거의 불가능하다는 점이다.

이럴 때는 특별한 호흡 기술이 필요하다. 그중 하나는 마치 개가 헐떡거리듯 호흡을 짧게 나누어 여러 번 하는 방법이다. 이렇게 하면 폐에 공기가 조금이라도 남아있어 폐가 완전히 수축되는 것을 방지할 수 있다.

높은 가속도로 인한 또 다른 문제는 시야가 좁아진다는 점이다. 가속도가 증가하면서 시야의 주변부부터 차츰 어두워지기 시작해서 결국에는 아무것도 보이지 않게 된다. 그렇게 시야가 완전히 어두워지기 직전에는 한동안 터널을 내려다보는 것처럼 바로 정면의 물체만 볼 수 있기 때문에 이 현상을 터널 시야(tunnel vision)라고 부른다. 인체에 가해지는 높은 가속도로 인해 때로는 눈의 미세 혈관이 파열되기도 한다.

'빼빼이'에서 테스트나 훈련을 할 때는 항상 의사가 대기하고 있다. 훈련 후에는 진찰을 받는데 인체에 미치는 여러 영향을 확인하기 위해서다. 원심기를 한 번 타고 나면 몇 시간 동안 그 느낌이 지속되고 예기치 못한 증상들이 나타난다. 가장 흔한 증상은 피로감이다. 심하게 현기증을 느끼는 경우도 있다. 어쨌든 '빼빼이'를 탄다는 것은 별로 즐겁지 않은 하루를 보낸다는 뜻이다. 오후를 기분 나쁘게 보내고 싶을 땐 그것만 한 것도 없었다.

여기서 아주 안타까운 기억 하나를 떠올리지 않을 수 없다. 우리가 아폴로 계획에서 사용할 우주복을 선정할 때 세 종류의 우주복이 경합을 벌였다. 그런데 그때 샘플로 들어온 우주복들이 모두 내 몸에 맞는 것들이었다. 결국 나는 그 샘플들을 테스트하기 위해서 KC-135기와 원심기를 세 번씩 다시 타야 했다. 동료들은 나를 행운아라고 치켜세우며 부러워했다!

우주에서 돌발 상황이 일어난다면

1965년 7월에는 큰 행운이 찾아왔다. 14명의 팀원 가운데 내가 처음으로 비행 승무원에 임명된 것이다. 비록 예비 조종사였지만 무척 기쁘고 흥분되었다. 예비 조종사는 말 그대로 주조종사가 비행을 하지 못할 어떤 일이 발생하지 않는 한 우주선을 탈 기회가 없다.

내게 배정된 우주선은 제미니 7호였다. 주조종사는 선장을 맡은 프랭크 보먼과 짐 러벨*이었고 나와 팀을 이룬 예비 조종사는 에드 화이트* 선장이었다. 에드와 나는 웨스트포인트에서 같은 반 동료였고 아주 오랜 친구였다. 프랭크 보먼과의 인연도 오래되었는데 공군 테스트 파일럿 학교에서 옆자리에 앉으면서 그를 알게 되었다.

당시 짐 러벨을 알고 지낸 지는 1년쯤 됐는데 내가 우주인으로 발탁되어 케이프케네디로 온 이후부터였다. 다행히 세 명 모두 함께 일을 하기 편한 사이였다. 나에게는 결코 작지 않은 행운이었다.

에드 화이트는 훌륭한 스포츠맨이었다. 그는 아침에 일어나 3킬로미터를 달리는 것으로 하루를 시작한다. 그런 다음 한 시간 정도 핸드볼이나 스쿼시를 한다. 아침 운동 마무리는 언제나 사우나였다. 사우나는 일반적인 목욕과 전혀 다르다. 케이프케네디에 있던 사우나 시설은 바닥과 벽과 천장이 모두 나무로 만들어진 작은 방이었다. 내부로 흐르는 전기 히터가 방의 온도를 높여주는데, 그런 상태로 10분 정도 지나면 방 안의 온도가 꽤 올라간다.

나는 온몸이 익은 바닷가재처럼 벌겋게 달아오르면서도 마음이 아주 편안해져서 꾸벅꾸벅 졸곤 했다. 내가 사우나를 자주 찾은 이유는 연일 혹사당하는 몸과 마음에 잠시나마 휴식을 주기 위해서였다. 프랭크와 짐과 에드는 내가 우주복을 만들기 위해 몇 개월 전국을 누비는 동안 많은 공부를 했기 때문에 제미니 우주선에 대해서 많은 것을 알고 있었다. 훈련에 지장을 주지 않도록 내가 그들만큼 지식을 쌓는 방법은 잠을 줄여가며 공부하는 방법 외에는 없었다. 또한 짐 러벨에게 어떤 불상사가 발생했을 때 곧바로 그를 대신하기 위해서는 최소한 그가 아는 만큼의 기술과 지식은 갖추어야 했다.

나의 파트너이자 선장인 에드 화이트가 많은 것을 알려주어 큰 도움이 되었다. 그는 제미니 4호를 타고 이미 한 차례 우주에 다녀온 경험이 있었고 미국인 최초의 우주 유영자였다. 그가 선외에서 활동한 시간은 20분에 지나지 않았지만 너무나 흥분되고 즐거운 나머지 우주선으로 다시 들어가기가 싫었다고 한다. 그런데 막상 우주선으로 돌아가 해치를 닫으려고 하자 무슨 이유에선지 해치가 닫히지 않았다. 그는 아주 힘겹게 겨우 해치를 닫을 수 있었다. 우주인 중에서는 아마도 가장 힘이 센 에드가 그렇게 고생을 했으니 다른 우주인이었다면 생각만 해도 끔찍한 일이 벌어졌을 것이다.

그러나 제미니 7호 비행에는 선외 활동 계획이 없으니 그런 걱정은 할 필요가 없었다. 대신 제미니 7호는 그 이전까지의 비행과는 비교도 안 되는 기간인 장장 2주간을 지구 궤도에 머물 예정이었다. 물론 기계적인 결함이 전혀 없고 프랭크와 짐 두 승무원의 건강에 아무런 이상이 없다는 전제조건이 붙었다.

제미니 7호가 장기 비행을 하게 된 배경에는 아폴로 계획이 있다. 달까지 비행을 한 후에 귀환하기까지는 일주일 이상이 걸릴 것으로 예상되었다. 하지만 무중력 상태에서 그렇게 오랜 기간 머무를 경우 승무원들의 신체에 어떤 변화가 생길지는 누구도 섣불리 단정할 수 없었다. 만일 어떤 불상사가 달 근처에서 일어난다면 치료를 위해 지구로 귀환하기까지는 최소 3일이 걸린다. 그래서 일단은 지상으로의 즉각 귀환이 가능한 지구 궤도에서 일주일 이상 비행하면서 승무원들의 건강 상태를 알아보기 위해 프랭크와 짐의 2주간의 비행이 계획된 것이다.

좁디좁은 제미니호 조종석에서 2주를 보낸다는 것은 정말 힘든 일이다. 제미니호의 조종실은 폴크스바겐 자동차의 앞좌석만 하다.

우주선 내에서 움직일 수 있는 공간은 그게 전부다. 그곳이 승무원들의 사무실이자 독서실이자 거실이자 식당이자 부엌이며 침실과 화장실과 연구실이기도 하다. 두 사람이 지구 궤도를 200회 이상 함께 돌면서, 그것도 바로 옆에 붙어 지내면서 먹고 자고 생리작용을 해결하다 보면 서로에 대해 모르는 게 거의 없을 것이다.

제미니호의 내부를 그대로 옮겨놓은 시뮬레이터에 세 시간만 앉아있어도 등이 결리고 다리가 마비되기 시작한다. 그런데 프랭크와 짐은 어떻게 2주를 꼼짝도 하지 않고 그 자리에 앉은 채로 지낼 수 있을까? 그 비밀은 우주가 무중력 상태라는 사실에 있다. 즉, 지구에서는 의자에 앉을 때 신체를 의자로 잡아당겨 짓누르는 중력이 우주에는 존재하지 않는다. 그래서 승무원들은 몸을 좌석에 고정시키지 않는 한 둥둥 떠 있는 무중력 상태가 된다. 그러니 지상에서 느끼는 등의 결림이나 다리 마비 같은 증상이 나타나지 않는다. 신장이 175센티미터인 내가 제미니 조종석에서 일어서면 머리가 해치에 닿고 오른쪽에 위치한 내 자리에서 손을 뻗으면 왼쪽 벽면에 닿는다. 다리에 마비가 오지 않는다고 해도, 이렇듯 거동조차 자유롭지 못한 좁은 공간에서 2주 동안이나 갇혀 지낸다는 것은 지금 생각해도 참 지독한 일이다.

무중력 상태에 인간의 몸이 노출되면 좋지 않은 영향을 많이 받는다. 편안함이라는 장점이 있을지는 몰라도 신체가 중력에 대항할 필요가 없어지다 보니 심장이나 근육 골격 계통이 약해진다. 심장을 예로 들어보자. 혈액을 아래쪽으로 끌어내리는 중력에 대항해서 다시 '위쪽으로' 끌어올리는 것이 심장의 주된 일이다. 하지만 중력이 없는 우주 공간에서는 심장이 혈액의 '상승'과 '하강'에 관여할 필요가 없다. 심장은 다만 혈관 내벽의 저항을 극복할 만큼의 수축 작용만 하면 된다. 근육도 지상에서 하던 많은 일에서 해방된다. 무중력 상태에서는 다리 근육이 더 이상 무거운 신체를 지탱할 필요가 없는 것이다. 우리의 신체는 사용하지 않으면 약해지거나 작아지거나 퇴화한다. 심장은 점점 게을러지고 골격은 점점 줄어들며 뼈에 있는 칼슘도 조금씩 빠져나간다. 제미니 7호의 발사를 앞두고 있던 1965년 당시에는 그 누구도 이러한 것들이 신체에 어떤 악영향을 미칠지 알지 못했다. 그것을 알아내는 것이 프랭크와 짐의 임무 중 하나였다.

그보다 뒤인 1973년과 1974년에 수행된 미국의 스카이랩 계획(유인 우주정거장 계획)에 참여한 우주인들은 장장 84일간 지구 궤도에 머물렀다. 귀환한 뒤 각종 의료 관찰을 했는데 우주인들은 신체에 아무런 해도 입지 않았다는 결론을 내렸다. 그들이 건강을 유지할 수 있었던 중요한 요인은 운동이었다. 스카이랩 참가 우주인들은 하루에 최소한 한 시간씩 운동을 했다. 스카이랩은 이전의 우주선들에 비하면 크고 넓었기 때문에 운동할 수 있는 공간이 충분했다. 그들이 하는 운동은 바닥에 고정된 자전거를 타거나 벽 주위를 걸어 다니는 것이었다.

하지만 제미니 우주선의 내부는 너무 좁아 그러한 운동을 할 수 없었다. 프랭크와 짐이 한 운동은 기껏해야 긴 고무 밴드의 한쪽 끝을 발바닥에 두른 후 팔과 어깨를 이용해서 다른 쪽 끝을 위쪽으로 힘껏 잡아당기는 정도였다. 그 당시 사람들은 고무 밴드를 잡아당기는 운동이 심장과 근육에 도움이 될 거라고는 확신하지 못했다.

우주인들 사이에서도 우주에서의 신체 조절에 대한 의견이 분분했다. 일부 우주인들은 우주에서의 무중력이 심장의 기능을 약화시킬 것이기 때문에 되도록 휴식을 많이 취하면서 심장에 무리가 가지 않도록 해야 한다고 생각했다. 운동이 약해진 심장을 필요 이상으로 괴롭히는 일이라고 여겼던 것이다. 몇몇 우주인들은 신체 기능이 약해지지 않도록 되도록 신체 활동을 많이 해야 한다고 생각했다..

나는 대체로 후자의 의견에 동의했다. 그러나 매일 몇 시간씩 운동을 할 필요는 없다고 생각했다. 즉, 운동선수 수준이 아니라 심장과 근육이 긴장감을 유지하는 정도의 양이면 충분하다고 생각했다. 신체의 내성을 유지하는 방법은 무수히 많지만 그 모든 방법은 결국 심장 근육에 지속적이고 일정한 하중을 유지시키는 것을 최종 목표로 한다. 이를 위해서는 수영과 자전거 타기가 좋은 방법이 될 수 있다. 달리기도 효과적인 운동 방법이며 내가 가장 선호하는 운동이기도 하다. 전문가들은 일주일에 세 번, 25분간 땀이 날 정도로 힘차게 운동할 것을 권했다. 나는 일주일에 네 차례씩 3킬로미터를 조금 넘게 달린다. 따져보면 일주일에 한 시간 남짓 운동하는 셈이다. 정기 검진을 하는 의사가 내 심장 근육이 극히 정상이며 건강하다고 말하는 것을 보면 그 정도의 운동량이면 충분한 것 같다. 그래서인지 운동을 하지 않은 주에는 쉽게 피로를 느낀다.

신체 조절에 영향을 미치는 또 다른 중요한 요인은 흡연이다. 흡연은 사람에게 가장 멍청한 습관이 아닐까 싶다. 흡연은 폐암 등 여러 질병을 유발하고 심장과 폐의 저항력을 떨어뜨린다. 그러면서 그리 큰 즐거움을 주는 것도 아니다. 나도 한때는 애연가였다. 하지만 언제부터인가 나 자신이 흡연의 순간을 전혀 즐기고 있지 않다는 것을 깨달았다. 그런데도 30분 넘도록 담배를 피우지 않으면 무척 허전하고 일이 손에 잡히지 않았다. 말 그대로 담배에 중독되어 있었던 것이다. 금연에 성공한 이후에는 몸 상태가 훨씬 좋아진 것을 피부로 느낀다. 침대에 불이 날 걱정을 하지 않아도 되고 말이다. (딱 한 번 그런 일이 있었다.) 무엇보다 내가 다른 것이 아닌 내 몸을 위해서 행동한다는 느낌이 가장 좋다.

1965년 당시에 흡연이 우리 몸에 미치는 영향은 점차 알려지고 있었지만 우주여행에 미치는 영향은 알려진 것이 거의 없었다. 다만 '인체 시계'와 관련한 몇 가지를 예측할 수 있을 뿐이었다. 인체 시계란 피곤을 느낀다거나 잠에서 깨어날 시간을 알려주는 우리 신체 내부의 알람이라고 할 수 있다. 주기 리듬이라고도 불리는 이 시계는 가장 최근에 생활한 장소의 주기에 맞추어져 있다. 가령 휴스턴에 살고 있는 사람이 정반대의 시차를 가진 지구 반대편으로 여행을 가는 경우를 생각해보자. 그곳에서는 낮인데도 쏟아지는 졸음을 주체하지 못할 것이다. 휴스턴을 기준으로 맞춰진 인체 시계는 밤을 가리키고 있기 때문이다.

지구 궤도의 우주선이 지구를 한 바퀴 도는 데에는 90분이 걸린다. 그동안 우주인은 일출과 정오와 일몰과 자정을 한 번씩 맞게 된다. 사람의 수면 시간을 보통 8시간, 즉 하루의 3분의 1이라고 본다면, 우주인도 과연 그 기준에 맞추어 하루의 3분의 1인 30분을 자고 한 시간은 깨어 있는 생활을 90분 간격으로 반복하는 것일까? 절대로 그렇지 않다. 그들의 인체 시계는 현재의 낮밤을 무시한 채 지상에서 생활하던 리듬을 그대로 따라간다. 우주선의 위치와는 상관없이 24시간 순환에 맞춰 그들이 생활하던 휴스턴의 밤 시간이 되면 졸음이 온다. 그래서 우주인들의 임무도 되도록 휴스턴을 기준으로 오전 8시에서 자정 사이에 수행하도록 계획되었다.

물론 예외도 있다. 어떤 임무는 많은 시간이 소요되기 때문에 취침 시간이 지나도록 계속되기도 한다. 예를 들어, 비행을 무사히 마쳐 달에 도착한 시각이 휴스턴 기준으로 오전 4시일 수 있다. 여러분이라면 태연히 잠을 잘 수 있겠는가? 제미니 계획의 초기에는 기계 고장에 대한 우려로 두 명의 승무원 중 한 명은 꼭 깨어있도록 했다. 이러한 방침에는 몇 가지 단점이 있다. 일단은 그들의 인체 시계와 맞지 않는다. 또한 잠을 자고 있는 승무원 옆에서 임무를 수행하는 동료가 내는 소음은 숙면에 큰 방해가 된다. 이렇게 인체 시계와 맞지 않는 시간에다가 소음까지 들리는 환경에서 잠을 자야 하는 비행이 며칠간 계속되면 승무원들은 상당히 지치게 될 것이다. 그래서 제미니 7호의 프랭크 보먼과 짐 러벨은 같은 시간에 자고 함께 일어나기로 했다. 휴스턴 기준으로 밤이 되면 그들은 우주선의 두 개의 창을 얇은 금속판으로 막아 햇빛을 가릴 것이다. 그리고 우주선에 아무런 이상이 생기지 않으리라 믿으며 함께 잠을 청할 것이다.

심장 근육과 주기 리듬도 흥미로운 주제지만 우리 조종사들이 가장 중요하다고 생각하고 관심을 기울였던 것은 바로 우주선이다. 언제라도 고장을 일으킬 수 있는 복잡한 기계 덩어리에 대한 모든 것을 이해하는 일이 무엇보다 가장 중요했다. 지구 궤도에서나 달까지의 여행 중에 우주선에 이상이 발생한다면 어떤 조치를 취해야 하는 것일까?

우리는 이 부분에서 상당히 이성적이어야 했고 발생 가능성이 높은 돌발 상황들을 예견하고 대비책을 마련해야 했다. 그러기 위해서는 우주선의 작동 원리를 이해해야 했다. 대부분의 이상 현상은 대처할 수 있겠지만 그러지 못할 상황도 분명히 있다. 예를 들어 제미니호가 귀환할 때 낙하산이 예정대로 펴지지 않는다면 일단 우주인은 다른 방법을 이용해 낙하산이 펴질 수 있도록 시도한다. 그래도 여의치 않을 때는 개인용 낙하산을 이용해 탈출해야 한다.

불이 붙은 비행기에서 조종석의 로켓을 이용해 탈출해야 했던 경험이 있는 나는 그런 상황의 급박함을 너무나 잘 이해한다. 그런 상황을 해결하려면 수많은 연습을 통해서 대처법이 머리와 몸에 완전히 녹아들어 있어야 한다. 조종사가 앉아있는 알루미늄 의자 뒤편에는 작은 로켓이 달려있다. 비행기가 추락이나 폭발의 위험에 처했을 때 조종사는 그 로켓을 점화시켜 조종석과 함께 비행기를 탈출할 수 있다. 물론 말처럼 그리 간단한 일은 아니다.

내가 탈출했던 F-86 세이버 제트기를 예로 들면 일단 산소호흡 호스와 통신용 연결선을 제거한 후에 상체를 굽힌 상태에서 조종석 덮개를 떼어내어 투하해야 한다. 반드시 상체를 숙여야 한다. 그렇지 않으면 떨어져 나가는 조종석 덮개가 조종사의 머리를 강타해 큰 부상을 입게 된다. 어쨌든 조종석 덮개를 제거하면 비로소 탈출 준비가 완료된 것이다. 머리를 똑바로 세워 머리 뒤쪽을 좌석에 붙인 후 오른쪽에 있는 방아쇠를 누르면 좌석이 비행기 밖으로 발사된다. 비행기 밖으로 빠져나온 직후에 좌석이 계속해서 회전을 하는 동안에는 강한 바람 때문에 눈을 뜰 수가 없다. 당연히 아무것도 보이지 않는다. 이때 몸을 조종석에 고정하는 벨트를 재빨리 풀어야 한다. 그리고 왼쪽 가슴에 달려있는 D자 모양의 링을 잡아당겨 낙하산을 펼친다. 당연한 얘기지만 혹시나 링을 잡아당기는 것을 잊어버리면 낙하산은 펼쳐지지 않는다. 이 모든 동작이 한 치의 오차도 없이 단 한 번에 신속하게 이루어져야 한다.

내가 세이버 제트기에서 탈출을 시도하던 그때에도 모든 것이 순조롭게 진행되고 있었다. 그런데 갑자기 조종석이 연기로 가득 찼고 무전기에서 나를 호위하던 조종사의 다급한 목소리가 들려왔다.

내가 타고 있는 비행기 꼬리 부분에서 불이 났다는 것이다. 나는 평소에 익힌 대로 재빨리 탈출을 위한 조치들을 하나씩 취했지만 결국 탈출에 실패하고 말았다. 비행기가 예상보다 훨씬 빨리 추락한 것이다. 지면이 눈앞에서 솟구쳐 오르는가 싶더니 내 몸이 뒤로 튕겨 나갔다. 그런데도 한 군데도 다치지 않고 멀쩡했다. 비행기가 추락한 곳은 농부가 갈아놓은 푹신한 밭이었고 내 몸이 튕겨 나간 뒤 떨어진 곳은 감자가 담긴 자루 더미였다.

우주선 조종사들은 '비행 시뮬레이터'를 이용해 뜻하지 않은 비상사태에 대처하는 준비를 한다. 시뮬레이터는 우주선 내부를 똑같이 모방한 것으로 컴퓨터에 연결되어 있다. 시뮬레이터의 조종석에 앉으면 실제 우주선을 조종하는 것과 똑같은 경험을 할 수 있다. 조종사가 다이얼을 조작하거나 우주선에 어떤 변화가 생기면 컴퓨터는 그에 따라 실제 우주선에서 일어나는 것과 똑같은 상황을 연출한다. 예를 들어 산소 탱크가 새기 시작하면 산소압 계기의 숫자가 감소하기 시작하여 어떤 부분에서 이상이 생겼는지 알 수 있는 단서를 우주인에게 제공한다. 시뮬레이터의 컴퓨터를 조작하는 교관은 우주인이 완벽하게 그 대응법을 익힐 때까지 한 가지 상황을 연출하고 곧바로 다른 문제 상황을 제시한다.

프랭크와 짐과 에드와 나는 1965년 가을까지 시뮬레이터에서 많은 시간을 보내며 12월에 있을 제미니 7호의 비행을 준비했다. 실제 발사일이 되었을 때 프랭크와 짐은 그 시뮬레이터의 비행에 거의 완벽하게 적응하고 있었다. 이것은 실제 우주선을 조종하는 데에 아무런 문제가 없을 것임을 뜻한다. 케이프케네디의 우리 모두는 우주선에 어떤 이상도 발생하지 않을 것을 기원했지만 설사 그런 일이 일어난다고 해도 프랭크와 짐은 시뮬레이터에서 익힌 대처 요령대로 그 어려움을 잘 극복할 것이다.

짐 러벨이 건강에 별 문제가 없고 어떤 사고도 일어나지 않아 제미니 7호에 탑승할 수 있었던 것은 정말 다행스러운 일이었다. 하지만 한편으로는 내가 그 비행에 참여하지 못하는 것이 상당히 아쉬웠다. 우주선에 조종석이 단 하나라는 것이 안타까울 따름이었다.

프랭크와 짐은 임무를 훌륭히 완수하며 계획대로 지구 궤도에 14일간 머물렀다. 다행히 시뮬레이터에서 익힌 응급 대처법을 우주에서 사용할 일은 발생하지 않았다. 그리고 무엇보다 그 비행에서 얻은 가장 큰 수확은 장기간의 우주 비행 후에도 그들의 몸에 어떤 이상도 나타나지 않았다는 것을 알게 된 것이다. 이로써 달을 향한 계획에서 가장 큰 장벽 가운데 하나였던 무중력으로 인한 승무원의 건강에 대한 우려는 사라졌다.

그 비행 이후에 에드 화이트는 아폴로 프로그램에 배속되었고 나는 존 영과 함께 제미니 10호의 주조종사로 발탁되었다. 나는 에드와 같은 팀을 이루지 못해 아쉬웠지만 역시나 내가 좋아하는 동료 중 한 명인 존과 함께할 수 있다는 것이 한편으로는 기뻤다. 물론 우주 비행을 할 수 있다는 사실보다 더 큰 기쁨은 없었다. 사실 비행만

할 수 있다면 동행하는 조종사가 누구든 상관없었다. 단독으로 우주 비행을 하라는 명령이 떨어진다 해도 그대로 따를 것이고 옆에 캥거루를 부조종사로 앉혀놓는다고 해도 기쁜 마음으로 비행에 임할 것이다. 나는 단지 우주 비행을 하고 싶을 뿐이었다.

황홀한 우주 유영을
꿈꾸며

제미니 10호의 비행은 제미니 7호와는 상당히 다르게 준비되고 진행되었다. 단 3일간의 비행이었지만 여러 가지 흥미로운 임무로 가득 차 있었다. 첫째, 지구 궤도에서 2기의 아제나 위성이 우리를 기다리고 있을 것이다. 아제나 위성은 약 9미터 길이의 얇고 기다란 원통 형태의 연료 탱크다. 한쪽 끝에는 로켓 엔진이 달려있고 반대쪽 끝은 개방된 상태다. 존 영과 나는 아제나 10호와 랑데부한 후 제미니호의 기수와 아제나의 구멍을 맞춘 뒤 두 기체를 단단히 연결한다. 그리고 아제나의 연료를 사용해 로켓을 점화시켜 더 높은 궤도로 올라간다. 그곳에는 지구 궤도를 4개월째 돌고 있는 아제나 8호가 있을 것이다. 우리는 아제나 8호를 따라 비행하면서 우주 유영을 통해 그 위성에 장착된 실험 장비를 회수할 것이다. 그리고 아제나 8호를 따라 돌면서 우리는 지상 760킬로미터라는 최고 고도 비행 기록을 세울 것이다. 이후 3일 동안에는 각종 실험을 수행하느라 매우 분주한 생활을 하게 될 것이다.

발사부터 귀환까지 비행의 모든 단계가 기대되었지만 특히 우주 유영에 대한 기대감이 가장 컸다. 시속 29000킬로미터로 날아가는 비행선에서 우주를 향해 뛰어내리는 장면을 수백 번은 상상했고 그때마다 가슴이 설렜다.

존 영과 내가 비행을 준비할 수 있는 기간은 1966년 1월에서 7월까지 6개월이었다. 존은 거스 그리섬•과 함께 제미니 3호를 타고 이미 우주 비행을 한 경험이 있기 때문에 제미니 우주선에 대해 잘 알았다. 나 또한 제미니 7호의 대기 조종사 임무를 끝낸 직후라 우주선에 대한 지식이라면 크게 걱정할 것이 없었다. 진짜 문제는 우리 둘 다 랑데부나 우주 유영에 대한 훈련 경험이 없다는 점이었다. 게다가 두 가지 모두 고도의 기술이 필요하고 매우 복잡한 과정으로 이루어지는 임무였다.

일단 우리는 우주 공간에서 아제나 10호를 찾아야 한다. 아제나는 제미니 10호의 발사 예정 약 두 시간 전에 원 궤도에 진입하게 될 것이다. 지금까지는 지상의 통제센터에서 제미니호의 승무원들에게 아제나의 위치를 알려주었지만 이번 비행에서는 실험적으로 승무원들 스스로 아제나 10호의 위치를 계산해서 알아내야 했다. 우리는 여러 별과 지평선이 이루는 각도를 측정해서 항로를 결정해야 한다.

즉, 수많은 기하학 원리를 이용해서 아제나에 다가가기 위한 비행의 고도와 방향을 계산해야 한다.

이번에도 시뮬레이터가 새로운 기술을 습득할 수 있도록 지원했다. 우리는 오랜 시간 지구 궤도에서 비행 연습을 하며 보냈다. 대부분은 우리의 위치를 계산하고 가상의 아제나에 도달하기 위한 항로를 결정하는 연습이었다. 그 훈련을 하면서 계산하느라 쓴 종이만 해도 수천 장은 될 듯하다. 내 계산이 맞으면 시뮬레이터에서는 우리가 아제나와 만났다는 메시지를 보냈다. 하지만 아제나를 찾지 못하거나 찾아 헤매느라 너무 많은 연료를 사용하는 경우도 꽤 있었다.

나는 제미니 7호 때부터 시뮬레이터를 통해 우주 비행에 관한 많은 기술을 익혔지만 단 한 가지만은 예외였다. 바로 우주 유영이었다. 이 기술을 익히기 위해서는 실제로 해보는 방법밖에 없었다. 나는 무중력에서의 유영 기술을 익히기 위해 KC-135기와 재회했다. 무중력이 유지되는 20초라는 짧은 시간 동안 나는 해치를 열고 밖으로 나가 나무로 만든 가짜 아제나 8호를 향해 몸을 날리는 연습을 했다. 나무로 만든 아제나 8호에는 내가 회수해야 할 실험 장비와 똑같이 생긴 모형이 실제와 똑같은 방법으로 부착되어 있었다.

실험 장비를 회수하는 과정은 전혀 걱정하지 않았다. 다만 제미니 우주선에서 아제나 8호로 이동하는 과정만큼은 조금 걱정이 되었다. 존이 우주선을 아제나 8호에 충분히 가깝게 붙여준다면 나는 해치를 열고 밖으로 상반신을 내민 상태에서 양손으로 우주선을 가볍게 밀며 몸을 날려 아제나 8호 위쪽으로 쉽게 이동할 수 있을 것이다. 그런데 그 순간에 내가 양손에 주는 힘의 균형이 맞지 않는다면 어떻게 될까? 균형을 잃고 한쪽으로 기울어지면서 회전하게 될 것이다. 일단 몸이 회전하기 시작할 경우 (앞에서 우주복에 대해서 했던 이야기를 기억하는가?) 무거운 우주복을 입은 내가 회전을 멈출 방법은 없다. 그렇게 회전하면서 아제나 8호에 충돌할 수도 있고 아니면 엉뚱한 방향으로 흘러갈 수도 있다.

문제를 더 어렵게 만드는 것은 우주복에 연결된 약 15미터 길이의 생명줄이다. 그 안에는 호흡에 필요한 산소 그리고 우주선이나 지상 요원들과의 통신을 위한 케이블이 들어있다. 그 생명줄이 아제나 8호에 감겨버리는 상황도 우려되는 일이었다. 그럴 경우 나와 우주선과 아제나는 마치 크리스마스 선물상자처럼 한 묶음으로 포장될 것이다. 나와 존이 매듭을 풀 기회가 있을지 없을지 모르는 공포의 선물상자가 되는 것이다.

아제나 위성의 비행 시스템은 기수가 고정된 한 방향을 향하도록 프로그래밍되어 있으며 배터리로 작동한다. 하지만 내가 회수할 실험 장비를 싣고 있는 아제나 8호는 우리와 만나기 4개월 전부터 지구 궤도를 돌고 있기 때문에 배터리가 방전되었을 것이다. 즉, 아제나의 기수가 고정되어 있지 않을 수도 있다. 또는 본체가 흔들리고 있거나 자체 회전을 하고 있을 수도 있다. 아제나 위성이 그런 상태라면 우리가 실험 장비를 안전하게 회수하기 위해서 취할 수 있는 방법은 무엇일까? 너무 빠르게 혹은 느리게 비행 중이라면? 어느 경우에도 접근 자체가 안전한 것일까? 어느 누구도, 시뮬레이터도 이러한 의문들에 대해 정확한 답변을 해줄 수 없었다. 실제 조건이 어떤지를 알고 난 후에야 대처법을 결정할 수 있는 경우가 대부분이었다.

그렇다고 모든 상황이 내게 불리한 것만은 아니었다. 내가 아제나 위성으로 이동하는 것을 도와줄 수 있는 기구가 하나 있었다. 휴대용 이동장치(hand-held maneuvering unit)라는 기구인데 우리는 그 모양 때문에 '우주총'이라고 불렀다. 뭉툭한 손잡이가 달려있고 위쪽에는 양쪽으로 분사구를 가진 길고 가느다란 관이 총신과 수직으로 누워 붙어있다. 손잡이 아래쪽 끝에도 분사구가 하나 있다. 두 개의 방아쇠가 있어서 각각 위쪽의 두 분사구와 손잡이의 분사구를 담당한다.

작동 원리는 매우 단순하다. 두 방아쇠 중 하나를 당기면 위쪽의 두 분사구로 질소 기체가 분출된다. 다른 쪽 방아쇠를 당기면 이번에는 손잡이에 달린 분사구를 통해서 위의 두 분사구와는 반대 방향으로 질소 기체가 분출된다. 그래서 총의 조준 방향과 방아쇠 선택에 따라 우주 공간에서 어느 방향으로든 추진력을 얻을 수 있다.

이론대로라면 내가 제미니호의 해치를 열고 올라가 서서 총을 아제나 8호 방향으로 조준하고 분사구를 점화시키면 전방으로의 추진력이 생겨 아제나 8호 방향으로 이동할 수 있다. 이동 중에 충분한 가속도가 붙었다고 판단하여 총의 분사를 멈추면 아제나 8호로 천천히 내려앉을 것이다. 이때 아제나와 강하게 부딪치는 사고를 방지하려면 가스를 위쪽으로 분사시켜 하강 속도를 줄인다.

나는 수많은 연습을 통해서 위에 설명한 과정들이 충분히 실현 가능하다는 것을 알았지만 방향과 분사하는 시점과 거리를 조절하는 것은 결코 쉬운 일이 아니었다.

우주 유영에 도움을 줄 만한 것이 또 하나 있다. 휴스턴에 특별히 만들어진 훈련 장소였다. 우주총 조작을 연습할 수 있도록 만들어진 그 공간은 로프로 둘레를 막은 사방 약 10미터의 정사각형 모양이며 바닥이 금속으로 되어 있다. 언뜻 보면 복싱 경기장 같은 모습이다. 금속 바닥은 최대한 미끈하게 다듬어졌기 때문에 우리는 '미끄럼 테이블'이라고 불렀다. 그 한가운데에는 바닥 광택기 모양의 직경 약 45센티미터인 기계가 놓여있다. 그 밑바닥에 있는 작은 분사구에서 분출되는 가스가 기계를 아주 조금 공중에 띄운다. 즉, 바닥과 공기쿠션을 사이에 두고 기계가 떠 있게 된다. 그 기계를 벽 근처로 옮기고 위에 올라타서 벽을 밀면 반대쪽 벽까지 아주 쉽게 이동할 수 있다. 공기쿠션이 기계의 밑면과 바닥의 접촉을 막아 마찰력이 발생하지 않기 때문이다. 벽을 미는 대신 우주총을 사용해도 똑같은 효과를 얻을 수 있다. 물론 우주총의 방향이 잘못될 경우 원하는 방향이 아닌 다른 방향으로 미끄러지게 되고 어떤 경우에는 빙글빙글 돌면서 로프에 충돌할 수도 있다.

나는 주중에는 시뮬레이터에서 비행 연습을 하거나 KC-135기를 타고 무중력 적응 훈련을 했지만 토요일 오전만큼은 시간을 비워 두고 미끄럼 테이블 위에서 우주총 사용법을 익혔다. 우주복을 차려 입고서 오른손으로 우주총을 들고 있는 그 당시의 사진을 보면 그 어색함이 이루 말할 수 없다.

나는 매주 토요일이 되면 몇 시간이고 미끄럼 테이블을 오가며 내가 원하는 정확한 지점까지 이동할 수 있도록 연습했다. 우주 유영을 할 때 이동 속도가 너무 빠르면 충돌할 위험이 있고 몸이 비틀리거나 회전하기 시작하면 멈출 수 없다. 그래서 테이블을 이용한 연습은 어쩌면 우주에서는 무용지물일 수 있다. 테이블 위에서는 오른쪽이나 왼쪽으로의 회전만 방지하면 되지만 우주에서는 앞뒤로 구르거나 풍차가 돌듯 회전할 수도 있기 때문이다.

또 이 훈련을 할 때는 언제나 테이블 위에 서 있는 상태이지만 우주에서는 위로 올라가거나 밑으로 가라앉는 상태에서 방향을 바꿔야 할 상황이 생길 수도 있다. 몸이 좌우로 회전하지 않도록 하려고 우주총을 쓰는 것도 이렇게 힘든데 앞뒤 구르기와 옆 구르기까지 신경 쓰면서 아제나 위성의 실험 장비를 회수한다는 게 가능한 일일까? 그 답을 나는 알지 못했지만 한 가지 확실한 사실은 제미니 10호의 발사 일자가 하루하루, 그것도 아주 빠르게 다가오고 있다는 것이었다.

익히고 준비해야 할 것이 너무 많아 단 1초의 시간도 아까운 그 무렵 나와 존은 뜻하지 않은 단기 임무를 맡았다. 데크 슬레이턴을 비롯해 다른 몇 명과 함께 우주인을 선발하는 업무였다. 내가 우주인이 되기 위해 앉아있던 자리의 반대편에서 그쪽을 바라보는 느낌은 아주 색달랐다. 어떤 지원자들은 경직된 자세로 식은땀을 흘리며 면접에 임해 동정심마저 들 정도였다. 불과 얼마 전에 내가 저런 모습이었을 거라는 생각에 웃음을 참느라 애를 먹기도 했다.

지원자는 모두 35명이었다. 우리는 길게 면접을 봤고 이후에는 한 명 한 명에 대해서 최소한 한 시간 넘게 회의를 했다. 그러느라 꼬박 일주일이 걸렸다. 일주일 내내 지원자들에게 질문하고 답변을 듣고 이후에는 그들 개개인을 비교하고 서로 토론을 했다. 그런데 정말 신기한 것은 한 지원자에 대해 서로 이견을 보이는 경우가 거의 없었다는 사실이다. 우리는 지원자를 심사할 때 다음과 같은 네 가지 질문에 자문자답을 하며 그가 우주인이 될 만한 소양을 갖추었는지를 평가했다.

1. 그는 얼마나 현명한가?
2. 그는 얼마나 높은 수준의 교육을 받았는가?
3. 그는 우주인으로서 기여할 수 있는 임무를 경험한 적이 있는가?
4. 그는 우주인이 되기를 얼마나 간절히 바라고 있는가?

내가 위의 질문에서 지원자들을 '그'라고 칭한 것에서 알 수 있듯이 여성은 한 명도 없었다. 아프리카계나 아시아계도 없었다. 왜 그랬던 것일까?

내가 생각할 때 1966년 당시 위의 조건 가운데 1번과 4번에서는 거의 최고점을 받을 만한 여성이나 유색인들이 상당히 많았겠지만 2번과 3번 조건을 적용하다 보면 거의 모든 여성과 유색인들이 탈락할 수밖에 없었다고 본다. 그래서 지원할 생각조차 하지 못했을 것이다. 일단 항공 관련 전문가나 경험이 많은 테스트 파일럿을 살펴봐도 여성이나 유색인은 찾아보기 힘들었다. 물론 이제는 모두 과거의 일이 되었다. (여성운동과 인권운동이 활발히 전개되면서 변화된 미국 사회의 시각이 반영되어 1978년에 선발된 35명의 우주인에는 6명의 여성과 4명의 소수민족이 포함되었다. 그중 여성 물리학자인 샐리 라이드와 1979년에 선발된 귀온 블루포드는 각각 1983년 우주 왕복선 비행에 참여하여 미국 최초의 여성 우주인과 최초의 아프리카계 우주인으로 기록되었다.)

당연한 얘기지만 제트기의 조종간이 조종사의 성별이나 피부색깔에 따라 다르게 작동하는 일은 없다. 그러나 어쨌든 확실한 사실은 우주인 지원자가 모두 백인 남성이었다는 것이다. 우리는 최상의 우주인을 선발하기 위해 최선을 다했고 35명의 지원자 중 19명을 선발했다. 그리고 존과 나는 다시 제미니 10호 비행 준비 모드로 돌아갔다.

발사 예정일인 7월 18일이 다가오면서 우리는 점점 더 바빠졌다. 제미니 10호 승무원으로 발탁되고부터 나는 검은색 노트와 테니스공을 들고 다니는 습관이 생겼다. 노트는 우주선이나 우주 비행,

우주 유영 등과 관련된 문제점이 생각날 때마다 즉시 메모하기 위해서였다. 내가 노트에 적은 문제점들은 모두 138개였다. 그중 해결책을 찾거나 의문이 풀린 문제는 선을 그어 지워나갔다. 7월 18일이 오기 전에 그 모든 문제에 선을 긋고 편안한 마음으로 비행에 임할 수 있기를 간절히 바랐다.

테니스공을 들고 다닌 건 오른손의 힘을 기르기 위해서였다. 나는 손이 쉬고 있을 때면 항상 테니스공을 꽉 쥐었다. 오른손 근력을 길러야 했던 것은 우주총 때문이었다. 우주 유영을 할 때 우주총을 얼마나 많이 사용하게 될지는 예측할 수 없었다. 또 무거운 장갑을 끼고 우주총을 사용해야 하기 때문에 상당한 힘이 필요했다.

어느 날 왼손에는 검은 노트, 오른손에는 테니스공을 들고 근심에 잠긴 표정으로 걸어가고 있는 사람을 보았다면 여러분은 우주인을 만나는 행운을 누린 것이다. 물론 아직 우주 비행 경험이 없는 신참이겠지만 말이다.

7월 18일이 거의 다 되었을 무렵 나의 검은색 노트에서 지워지지 않은 문제는 몇 개뿐이었다. 우리는 케이프케네디 기지로 아예 거처를 옮겨서 휴스턴에 있는 가족과는 주말에만 만날 수 있었다. 토요일에는 미끄럼 테이블 위에서 우주총으로 우주 유영을 연습했고 일요일에는 하루 종일 가족들과 함께 보냈다. 큰딸 케이트는 일곱 살, 둘째 앤은 네 살, 막내 마이클은 세 살이었다. 앤과 마이클은 아빠가 몇 주 후에 어떤 일을 하게 될지를 이해하기에는 너무 어린 나이였지만 케이트는 어렴풋이나마 비행이라는 것을 이해하고 있는 듯했다. 그리고 아빠가 비행사라는 것을 자랑스럽게 여기는 것 같았다. 아내도 물론 자랑스러워했지만 한편으로는 걱정하는 마음이 컸다. 나도 걱정이 전혀 없었다면 거짓말이겠지만 그렇다고 두려워한 것은 결코 아니었다. 내가 두려움을 느낀 것은 안전 그물망도 설치하지 않고 높은 곳에서 봉과 봉 사이를 오가는 서커스 단원을 보았을 때다. 수십 층 빌딩의 옥상 한쪽 모퉁이에 서서 아래쪽을 훔쳐보았을 때 배 속에서 무릎까지 꿈틀대던 무엇인가도 아마 두려움이었을 것이다.

하지만 우주 비행에 대한 내 느낌은 그런 종류의 두려움과는 다른 것이었다. 무엇인가가 틀어져버릴지도 모른다는 희미한 불안함 정도라고나 할까. 내가 걱정한 것은 나의 안전이 아니라 내가 임무를 제대로 수행하지 못해서 많은 사람들의 노력을 헛되이 만들고 그들을 낙담하게 만드는 그런 상황이었다. 3일간의 비행에서 해야 할 일이 무수히 많다 보니 분명히 예상과 조금이라도 어긋나는 일이 있을 것이다. 그 어긋남이 중요한 임무에서가 아닌 사소한 문제에서 발생하길 바랄 뿐이었다.

가족을 위해 남겨놓은 일요일이면 나는 충분히 쉬고 양고기 카레 요리를 하면서 주방을 온통 들쑤셔놓곤 했다. 또 집에서 기르는 개 두비(Dubhe)와 산책도 했다. 북쪽 밤하늘에 떠 있는 북두칠성 중 하나의 아랍식 이름이다. 정원의 호스를 가지고 노는 것을 좋아하는 두비는 검은색과 회색 털을 가진 독일산 셰퍼드였다. 내가 호스를 들고 얇은 물줄기로 원을 그리면 두비는 그 물줄기를 쫓아 지칠 때까지 빙글빙글 돌았다. 물줄기를 잡으면 턱을 크게 움직이며 이빨 부딪치는 소리를 냈다. 두비는 아무것도 자기 입에 들어오는 것이 없어 당황하는 듯 보였다. 더운 여름날에는 그 놀이 끝에 호스로 두비의 몸이 흠뻑 젖도록 물을 뿌려주었다. 그러면 두비는 정말 즐거워했다.

가족과 함께 보낸 6월의 마지막 일요일 오후, 나는 케이프케네디 기지로 돌아가기 위해 T-38기를 몰았다. 이제 날이 새면 제미니 10호를 타고 지구 궤도로 올라가 그곳에서 3일을 지내게 될 것이다.

우주에서의
첫날 밤

우주 비행을 하기 위해 복장을 갖추는 데는 꽤나 긴 시간이 걸린다. 가장 먼저 하는 일은 건강 상태 체크용 센서를 몸에 부착하는 것이다. 얇은 원반 모양의 센서 네 개를 특수 접착제로 가슴에 부착하고 그 위에 다시 접착용 테이프를 붙여 고정한다. 각 센서에 달린 전선은 허리 부근의 주머니에 들어 있는 소형 전기 상자에 연결된다. 그리고 이 전기 상자에서 나온 코드가 우주복을 거쳐 우주선 본체에 꽂힌다. 이 센서들을 통해 전달되는 정보는 관제센터의 스크린에 나타나는데 심장이 박동할 때마다 위쪽으로 솟구쳐 강도를 표시한다.

지상에 있는 의사들은 스크린을 통해 승무원의 심장 상태를 점검한다. 생존 여부와 같이 일반인들도 충분히 판단할 수 있는 사항 말고도 의사들은 승무원이 휴식 중인지 아니면 일하고 있는지

또는 심장이 활동하는 상태까지도 판단할 수 있다. 이것을 심전도(electrocardiogram) 검사라고 한다. 의사나 과학자들은 어떤 용어를 만들 때 되도록 길게 만들고 싶어 한다는 것을 여기서도 알 수 있다. 만일 가슴털이 많은 승무원이라면 센서를 부착하기까지 좀 더 오랜 시간이 걸린다. 센서를 붙일 부위를 면도해야 하기 때문이다.

센서를 모두 붙이고 나면 흰색 면으로 된 긴 내복을 입은 후에 우주복을 입는다. 이것은 결코 쉬운 일이 아니다. 아니 입는다기보다는 우주복 속으로 들어간다는 표현이 맞을 것이다. 먼저 옷 뒤쪽에 달린 지퍼 안으로 두 다리를 집어넣는다. 그다음 고개를 숙여 머리를 집어넣은 후에 역시 지퍼 안으로 두 팔을 넣어 손을 밖으로 꺼낸다. 그러면 머리가 저절로 우주복의 목 부분으로 빠져나온다. 그 상태에서 발을 최대한 뻗어서 우주복 깊숙이 집어넣고 손도 최대한 뻗으면 겨우 두 발로 설 수 있다. 물론 뒤쪽의 지퍼는 누군가가 닫아줘야 한다. 이때쯤 되면 땀이 비 오듯 쏟아진다. 다행히 에어컨 장치와 연결되는 두 개의 호스를 통해서 신선하고 차가운 공기를 우주복 내부로 주입받을 수 있다.

이제 남은 장비는 장갑과 헬멧이다. 두 장비 모두 우주복과의 연결 부위는 금속 링으로 고정된다. 장갑과 헬멧까지 착용하면 그 우주인은 바깥세상과 완전히 단절된 셈이다. 다른 사람과의 의사소통은 무선 통신을 통해서만 가능하다. 바깥과는 다르게 100퍼센트 산소로 구성된 무취의 공기로 호흡한다. 장갑을 꼈기 때문에 촉각은 없다고 보면 된다. 평소처럼 방해받지 않는 감각은 시각이 유일하다. 하지만 우주복을 입고 바라보는 세상이 아무리 잘 보인다고 하더라도 우주복에 들어가 있는 우주인은 자신이 그 세상의 한 부분이라고는 전혀 느끼지 못한다.

1966년 7월 18일 오후, 존과 나는 힘겹게 우주복을 입은 후에 제미니 10호의 발사 시간만을 기다리고 있었다. 발사 시간이 오후로 정해진 이유는 4개월째 지구 궤도를 돌고 있는 아제나 8호 때문이다. 위성이 바로 우리 위를 지나가고 있을 때 우주선을 발사해야 접근하기가 쉽고 시간과 연료의 낭비도 막을 수 있다. 우리는 소형 밴에 올라 발사대로 향했다. 타이탄 로켓의 제일 꼭대기에 있는 우주선 모듈까지는 정비탑에 설치된 엘리베이터를 이용해 올라간다. 아주 큰 새장 느낌의 엘리베이터를 타고 오르면서 나는 바로 옆에 펼쳐진 대서양의 아름다운 경치를 내다보았다. 현대 과학의 총아라고 할 수 있는 거대하고 복잡한 기계 덩어리인 로켓과 그 반대편에 펼쳐진 티끌 하나 없는 푸른 망망대해의 자연은 극한 대조를 이루며 긴장감을 고조시켰다.

이제 제미니호의 선내로 들어갈 차례다. 일단 두 발을 먼저 들여보낸 후 위에서 눌러주는 동료들의 도움을 받아 헬멧이 해치 입구에 걸리지 않을 때까지 몸을 집어넣는다. 마침내 해치 문을 닫고 안에서 잠그고 나니 존과 나는 푸른 바다와도 가족들과도 친구들과도 완전히 분리된 채 우리들만의 작은 세계를 가지게 되었다. 우리는 등을 아래로 두 다리는 허공에 뜬 자세로 앉아있었다. 이제 몇 분 후면 지상 160킬로미터 위로 올라가 시속 29000킬로미터로 지구 궤도를 돌게 될 것이다. 우주복을 입고 우주선에 탑승할 때까지만 해도 내가 진짜 우주 비행을 하게 될지 믿을 수 없었는데 무선으로 들려오는 카운트다운이 10을 지나 더 작은 숫자로 내려가기 시작하자 믿지 않을 도리가 없었다. 나는 존과 눈을 한 번 마주치고는 심호흡을 했다.

… 7, 6, 5, 4, 3, 2, 1! 우주선이 마치 살아있는 듯 잠깐 꿈틀대더니 위로 날아오르기 시작했다. 우주선 안쪽의 소음이 아주 크긴 했지만 우리는 그 소리보다는 우주선의 흔들림을 느끼며 우주선의 움직임을 막연히 알 수 있었다. 우주선 제일 아래쪽에서는 강력한 타이탄 엔진 2기가 연료를 꿀꺽꿀꺽 삼키며 요동치고 있다. 양쪽의 두 엔진은 우리가 정확히 지면과 수직으로 비행하도록 균형을 맞추기 위해 아주 미세하게 조절되고 있었다. 그 강약이 조종석을 통해 가벼운 흔들림으로 전달되었다. 하지만 속도에 대한 느낌은 얇은 구름층에 도착해서야 제대로 알 수 있었다.

서서히 우리를 향해 다가오던 구름이 순식간에 지나쳐갔다. 그제서야 비행 중임을 실감할 수 있었다. 우주선의 속도가 음속에 가까워지면서 소음과 진동이 조금 증가하더니 음속을 돌파한 후에는 현저하게 잦아들었다. 1단계 연료탱크가 모두 소진된 후부터 증가하기 시작한 중력은 5G까지 증가해서 조종석에 등을 댄 우리의 가슴 위에서 평소 몸무게의 다섯 배 힘으로 짓누르고 있었다.

2단계, 즉 타이탄 로켓의 위쪽 반이 점화되는 순간에는 우주선이 폭발하는 듯한 진동이 있었다. 1초도 안 되는 순간에 창밖의 광경이 순식간에 바뀌었다. 검은색이던 하늘이 갑자기 불타는 듯한 노란색으로 바뀌면서 미세한 입자가 우주선 창에 부딪히며 지나쳐갔다. 하지만 그 입자가 사라지자 곧 평화로운 검은색 하늘이 다시 나타났다. 지구 궤도에 거의 다 도달했을 때는 중력이 7G 이상까지 증가했다. 가슴에 얹어놓은 손이 더 무겁게 느껴졌다. 바로 그때였다. 엔진의 진동이 멈추더니 몸을 짓누르던 중력이 갑자기 사라졌다. 내가 난생처음으로 지구 궤도에 올라선 순간이었다.

몸이 의자에 고정되어 있었기 때문에 무중력 상태라고 해도 지상에서와 그리 큰 차이는 없었다. 다만 머릿속이 왠지 꽉 찼다는 느낌과 사마귀 앞다리처럼 내 눈앞에 떠 있는 손이 무중력 상태임을 알려주었다. 물론 위에서 짓누르는 듯한 느낌은 전혀 없었고 몸이 움직이면 허리와 어깨의 고정벨트가 가볍게 들썩였다. 하지만 무중력 상태라는 확실한 증거는 따로 있었다. 어디선가 갈라진 틈에서 나온 각종 이물질이 조종석을 순식간에 꽉 채웠다. 이를테면 너트와 볼트, 작은 금속과 고무 조각 따위였다.

그것들은 마치 난파된 여객선을 탈출한 고무보트들처럼 정처없이 떠다니다가 하나하나 공기 조절 장치 속으로 빨려 들어갔다. 나는 창밖으로 눈을 돌렸다. 그 순간 내 눈에 비친 장엄한 하늘과 바다의 광경은 평생 잊을 수 없을 것 같다. 하지만 느긋하게 감상하며 즐길 시간이 없었다. 우주선이 태양 반대편으로 진입해 갑자기 어둠 속으로 빠져든 탓도 있었지만 곧바로 첫 번째 임무를 수행해야 했기 때문이다.

나는 육분의를 사용해 창밖으로 보이는 별들과 지평선 사이의 각도를 측정했다. 그리고 아제나 10호를 찾기 위해서 우주선을 어떤 방향으로 이동시켜야 하는지 서둘러 계산해야 했다. 지상의 시뮬레이터에서 수없이 계산을 했었지만 뜻대로 잘 되지 않았다. 일단 어두운 우주 공간에서 별을 찾는 것은 가능했지만 검은 하늘과 검은 지구 사이의 명확한 구분선을 육안으로 확인해 지평선을 정하는 일은 거의 불가능에 가까웠다. 그런 상황에서 우주선의 속도와 방향을 언제 얼마나 조정해야 하는지에 대해 내가 계산한 결과와 지상 관제센터의 계산 결과가 엄청나게 차이가 난 것은 어쩌면 당연한 일이었다. 물론 목숨이 걸린 임무는 아니었지만 우주에서 치른 첫 번째 시험을 망쳤다는 게 과히 기분 좋은 일은 아니었다.

지상에서의 명령에 따라 우주선의 속도와 방향을 바꾸어가면서 우리는 조금씩 아제나 10호에 접근했다. 우주선이 발사되고 다섯 시간이 조금 지났을 무렵, 드디어 존이 우주선의 기수와 아제나 10호의 로켓을 도킹하는 데에 성공했다. 지금까지 생긴 유일한 문제는 아제나를 찾느라 너무 많은 연료를 소모했다는 것이다. 이것은 남은 이틀 동안의 임무를 최대한 신속히 수행해 연료를 아껴야 한다는 것을 뜻한다.

다음 임무는 더 높은 궤도에 있는 아제나 8호를 찾는 것이었다. 그 임무를 수행하기 위해 우리는 지금 아제나 로켓의 추진력을 이용해서 우주선의 궤도를 더 높이 올리려는 중이다. 그런데 이번 비행은 좀 특이한 면이 있다. 우리가 선수 쪽으로 아제나 10호와 도킹했다는 점이다. 대부분의 경우 로켓은 우주선의 뒤쪽과 합체하게 되어 있어서 조종석의 등 쪽에서 우주선을 밀어올리는 데 반해, 이번에는 조종석의 등 쪽이 하늘을 향하고 있고 조종 계기판이 있는 앞쪽에서 로켓이 우리를 밀어올리게 된다. 아제나와 우주선의 도킹 상태가 견고한지를 다시 한번 확인한 우리는 작은 검은색 상자에 달린 버튼을 눌러 아제나 로켓을 점화시켰다. 그에 화답이라도 하듯 아제나의 엔진에서 불꽃이 보였다. 처음에는 그것이 전부인 듯했다. 엔진에서 커다란 액체연료 덩어리가 떨어져 나와 눈싸움 중에 던진 눈처럼 멀리 사라져갔다. 그때 갑자기 굉음을 내며 엔진이 점화되었다.

존과 나는 어깨와 허리의 고정 벨트를 더 바싹 조였다. 아제나 로켓의 엔진은 점화된 지 14초 후에 발사되도록 설계되었다. 발사 직전까지 우리가 볼 수 있는 것은 진한 오렌지색 화염뿐이었다. 아제나 로켓이 발사되자 지상에서의 발사 때와는 반대의 힘이 느껴졌다. 뒤에서 미는 힘은 고정 벨트를 묵직하게 느껴지게 했다. 그리고 이내 다시 무중력 상태가 되었다. 드디어 우리의 최종 목표인 지상 760킬로미터의 궤도에 오른 것이다. 지금까지 인류가 가장 멀리 날아간 지점이었다.

그때부터 아주 잠깐 눈앞의 하늘은 온통 스파크와 불꽃과 연료 덩어리 천지였다. 반딧불이처럼 작은 것부터 농구공만 한 크기까지 각양의 불꽃과 연료 방울이 사방으로 튀기며 로켓 주변을 천천히 떠돌거나 빠른 속도로 날아갔다. 아제나 로켓을 둘러싼 화염은 황금빛 달무리처럼 빛나다가 천천히 우주의 암흑 속으로 사라졌다. "진짜 굉장한걸!" 존이 탄성을 질렀고 나도 맞장구쳤다. "제대로 불이 붙었으니 한시름 놔도 되겠어." 이제 우주선은 760킬로미터 궤도에 진입했고, 우리는 우주에서의 첫 식사를 한 후에 잠깐 눈을 붙였다.

나는 그날 밤 여러 가지 이유로 잠을 설쳤다. 선배 우주인들의 얘기를 들어보아도 우주에서의 첫날 밤에는 대개 제대로 자지 못한다고 한다. 앞으로 수행할 임무에 대한 부담감과 긴장감 때문일 것이다. 게다가 침대가 아닌 조종석에서 잠을 잔다는 것 자체가 익숙하지 않은 일이다. 헬멧 앞에서 어슬렁거리며 둥둥 떠 있는 두 손도 신경에 거슬린다. 그 손들을 주머니에 넣어놓거나 어딘가에 묶어두어야 안심이 될 것 같았다. 잠결에 나도 모르게 손으로 계기판 스위치를 잘못 눌러서 사고가 날지도 모른다는 불안감도 내가 편하게 잘 수 없는 이유 중 하나였다. 할 수만 있다면 두 손을 입에 넣어두고 싶을 정도였다. 베개가 없는 불편함도 잠을 쫓았다. 이리저리 궁리하던 나는 머리 위 오른쪽의 구석 한편을 찾아냈는데 그 사이로 머리를 집어넣으니 자세가 훨씬 편했다. 나로서는 엄청난 발견이었다. 나는 손이 떠다니든 말든 이리저리 뒤척이면서 두어 시간 잠을 잤다. 다음 날에는 가장 바쁜 일정이 기다리고 있었다. 그중 하나는 해치를 열고 우주선 바깥으로 올라서서 별들의 사진을 찍어야 하는 임무였다. 진공 상태의 우주에서 조종석의 압력을 낮춘 후에 해치를 연다는 것은 까딱 잘못하다가는 생명을 잃을 수 있는 위험천만한 일이다. 상당한 집중력이 필요한 그 임무를 위해서라도 어떻게든 잠을 자두어야 했다. 우주에서의 첫날 밤은 안도와 걱정과 긴장과 다짐이 뒤섞인 채 그렇게 깊어가고 있었다.

해치를 열고 별들의 사진을 찍는 임무는 거의 완벽하게 진행되었다. 내가 해치를 연 것은 우주선이 태양으로부터 지구 뒤편으로 숨어들어갈 즈음이었다. 손끝에 조심스레 묻어나는 긴장감과는 달리 해치는 너무도 쉽게 열렸다. 해치를 열고 몸을 내민 나는 그제야 우주라는 공간을 한껏 둘러볼 수 있었다.

우주선의 조그만 창을 통해 내다볼 수 있는 우주의 모습은 아주 작은 일부에 지나지 않는다. 하지만 지금 앞뒤 좌우 위아래 어디를 보아도 온통 별들이 빛나고 있는 우주뿐이다. 심지어 저 아래 지평선 바로 옆에서도 별이 보인다. 별은 지상에서 볼 때보다 훨씬 밝았고 깜박거리지도 않았다. 우리가 지구에서 보는 별이 반짝이는 이유는 대기를 통과하면서 반사되고 산란되고 굴절되고 간섭을 받은 빛을 보기 때문이다.

달은 지구에 가려 보이지 않았고 지구의 표면도 구름에 가려 거의 보이지 않았다. 다만 가끔 번쩍이는 빛이 그 지역에 뇌우가 있음을 말해줄 뿐이다. 물론 나는 그곳이 어디쯤인지 알 도리가 없다. 하지만 이렇게 지구를 내려다보며 조용하고 부드럽게 비행한다는 것 자체가 장엄하게 느껴졌다. 이러한 기회가 나에게 주어졌다는 것은 그야말로 영광이었다.

내가 수행해야 할 임무는 몇 개의 별을 촬영하는 일이었다. 그 별들이 선택된 이유는 비교적 젊은 별이어서 자외선을 많이 내뿜고 있었기 때문이다. 카메라를 각 별에 고정한 후에 약 20초씩 조리개를 열어놓으면 되는 비교적 단순한 임무였다. 우주선 안에서 존이 20초를 세어주고 있으니 나는 카메라가 흔들리지 않는 데에만 신경 쓰면 되었다. 새벽이 가까워지면서 우리는 임무를 무사히 마치고 다음 실험을 준비했다. 그때 태양이 떠오르기 시작했다.

우주에서 보는 일출은 지상에서와는 사뭇 다르다. 일출 직전에 지평선으로 먼저 흰색의 빛이 아주 강렬하게 비추기 시작했다. 나는 그 빛을 직접 쳐다보는 것을 피하기 위해 거북이가 등껍데기에 숨듯 우주복 목 밑으로 머리를 집어넣었다.

그런데 그 순간 갑자기 눈물이 나기 시작했다. 눈물은 점점 더 많아져서 도저히 카메라 셔터를 조작할 수 없을 정도였다. 헬멧을 벗을 수가 없기 때문에 할 수 있는 일이라곤 두 눈을 깜박거리는 것밖에 없었는데 그것도 역부족이었다. 나는 급히 카메라를 우주선 안으로 집어넣고 존에게 도와달라고 했다. 하지만 존에게서 들려온 대답은 절망적이었다. 존 역시 눈물 때문에 앞을 볼 수가 없다고 했다. 해치가 열려있는 상태에서 승무원 둘 다 앞을 볼 수 없다는 것은 거의 최악의 상황이다.

나는 다른 손에 들고 있던 조그만 장비들을 아무렇게나 집어던지고 서둘러 우주선 안으로 들어갔다. 무중력 상태에서 해치 안으로 몸을 들여보내는 과정은 지상에서 수십 번 연습한 일이라 별문제 없이 쉽게 이루어졌다. 다행히 생명줄이 꼬이거나 연결이 느슨해지는 불상사도 일어나지 않았다. 해치를 닫고 안에서 잠그는 과정까지 모든 것이 순조롭게 이어졌다. 우주선 내부에 산소를 공급하는 스위치를 가까스로 찾아 작동시키고 나서야 안도의 한숨을 내쉬었다.

몇 분 후 비로소 눈물이 멈추었다. 10분쯤 후에는 존의 시야도 정상으로 돌아왔다. 우리는 방금 발생했던 상황의 원인에 대해 이야기를 나누었고 잠시 후에 지상과 무선 통신이 가능한 영역에 들어서자 관제센터에도 조금 전 발생한 일을 보고했다. 하지만 우리가 앞을 볼 수 없었던 이유를 누구도 명확히 설명하지 못했다.

나는 두 가지 가능성을 존에게 얘기했다. 첫 번째 가능성은 헬멧 바이저에 서리가 끼는 것을 방지하기 위해 이번 비행부터 새로 사용한 화학물질이 태양빛과 반응해서 우리 눈을 자극하는 새로운 화학물질을 만들어냈다는 것이다. 두 번째 가능성은 수산화리튬이라는 화학물질이 우리 눈을 자극했다는 것이다. 그 화학물질은 우리가 숨을 내뱉을 때 발생하는 이산화탄소를 흡수하는 용도로 사용되고 있었다. 이 물질은 철제 용기에 담겨있었지만 일부가 새어나와 산소 공급 장치를 통해 우주복 내부로 들어왔을지도 모를 일이었다. 물론 진짜 이유는 완전히 다른 것일 수도 있고 시간이 더 지나면 밝혀질 것이다.

만일 내가 말한 두 가지 중 하나가 맞다면, 다음 날로 예정된 나의 우주 유영 임무를 예정대로 진행해야 하는지를 다시 고려해보아야 했다. 그 임무는 해치를 열고 올라서서 사진을 찍는 임무처럼 그리 단순하지 않기 때문이다. 나는 유영을 해서 아제나 8호에 접근해 실험 장비를 회수해야 하고 그러는 동안 존은 위성과 속도를 맞추어서 위성 바로 옆에서 비행해야 한다. 두 승무원의 시야가 확실히 확보되어야 함은 물론이고 상당한 집중력이 필요한 임무다.

우리는 남은 하루 동안 상황을 지켜본 후에 결정하기로 했다. 그러는 사이에 어느덧 취침할 시간이 되었다. 간밤에 잠을 설쳤기 때문에 나는 몹시 피곤한 상태였고 게다가 다음 날 있을 우주 유영을 위해서라도 충분히 잠을 자두어야 했다. 나는 눈을 감자마자 깊은 잠에 빠져들었다.

다음 날 아침 관제센터에서 우리를 부르는 무선 통신을 듣고서야 잠에서 깼다. 우주에서의 세 번째이자 제미니 10호 비행의 마지막 날이 시작되었다. 서둘러 아침식사를 끝낸 후에 맨 처음 할 일은 실험 장비를 싣고 있는 아제나 8호를 찾는 것이었다. 사실 지난 24시간 동안 임무를 수행하고 잠을 자는 동안에도 우리의 비행 속도와 방향은 그 위성의 위치를 기준으로 계속 조정되어왔다. 마침내 전방

38킬로미터에서 우리보다 약간 위쪽의 궤도를 돌고 있는 위성이 시야에 들어왔다. 물론 거리가 너무 멀어 반점 형태로 보일 뿐이었다. 아제나 8호에 접근하기 전에 먼저 지금까지 우주선의 엔진 역할을 하며 기수에 붙어있는 아제나 로켓을 분리해야 했다. 우리의 작별인사와 함께 분리된 아제나 로켓은 이제는 쉬어야겠다는 듯 미련 없이 멀어져갔다.

멀리서 반점으로 보이던 아제나 8호는 접근할수록 차츰 원통형으로 보이기 시작했다. 다행히 회전하거나 공중제비를 하고 있지는 않았다. 오히려 육중한 돌덩이처럼 미동도 하지 않고 있었다. 최소한, 내가 걱정했듯 생명줄이 회전하는 아제나 위성에 감겨 우주선과 아제나 위성이 충돌하는 일은 일어나지 않을 것이다. 우리가 위성 바로 옆을 날기 시작한 것은 예정대로 일몰 직전이었다. 해가 지기 전에 서치라이트를 켜서 아제나 위성을 비추었다. 잠시 후 해가 지자 위성을 확인하는 것은 전적으로 서치라이트에 의존할 수밖에 없었다. 아제나가 서치라이트 범위 밖으로 나가지 않도록 아제나와 같은 속도를 유지해야 하는 존 또한 나만큼이나 극도로 긴장한 상태였다.

존이 우주선 조종에 몰입해 있는 동안 나는 우주 유영에 필요한 각종 장비를 챙겼다. 생명줄 한쪽 끝을 우주선 산소 공급 장치에 연결하고 다른 쪽은 우주복 체스트팩에 연결했다. 체스트팩은 우주복과 두 개의 호스로 연결되어 있다. 무선 통신을 위한 통신선을 연결한 후에 우주총도 챙겼다. 하지만 우주총만 들고 나간다고 해서 사용할 수 있는 것은 아니다. 우주총 자체에는 분사용 질소 가스가 없기 때문에 우주선 뒤쪽에 달린 질소 탱크에 연결해야 한다.

어제의 눈물 사건이 더 이상 일어나지 않았기 때문에 관제센터에서는 해가 뜨기 직전에 우주 유영을 수행해도 좋다는 명령을 전해왔다. 나는 무릎 위에 필요한 모든 기구를 준비한 채 시간이 되기를 기다렸다. 15미터 길이의 생명줄은 공 모양으로 감아 무릎 위에 놓을 수 있었지만 그 크기가 농구공만 해서 나는 미동조차 할 수 없는 상태였다.

해치를 여는 것은 어제와 마찬가지로 별문제가 없었다. 나는 심호흡으로 마음을 가다듬고서 우주선 밖으로 상체를 내밀었다. 아제나 8호는 우주선보다 약간 앞선 위쪽에서 3미터 정도 거리에 있었다. 일단 나는 뒤로 돌아 우주선 뒤쪽에 달린 질소 탱크에 우주총을 연결했다. 뒤쪽으로 돌아갈 수 있는 난간 형태의 구조물 덕분에 탱크까지 이동하는 것은 아주 수월했다.

그런데 탱크와 연결하는 데서 한 가지 문제가 발생했다. 우주총의 호스 끝에는 탱크의 호스 끝부분과 연결하는 금속 링이 부착되어 있다. 일단 그 금속 링을 뒤로 젖혀 탱크의 호스와 연결한 후에 다시 앞으로 밀면 밸브와의 이음새와 정확히 들어맞아 연결 부위가 고정되도록 설계되어 있다. 문제는 금속 링을 다시 앞쪽으로 밀었을 때 밸브의 위와 아래가 비뚤어져 고정이 되지 않는 것인데 바로 그런 일이 발생한 것이다. 다시 한번 뒤로 젖힌 후에 밀어도 마찬가지라면 두 밸브를 완전히 분리해 다시 연결을 시도해야 한다. 그런데 이 작업을 하려면 두 손을 모두 사용해야 한다. 즉, 우주선을 잡고 있는 한쪽 손을 놓아야 한다는 것인데 그러면 난간에서 발이 떨어져 허공에 떠 있게 되고 말 그대로 우주 유영을 하게 된다. 본 임무에 들어서기도 전에 우주 유영을 하며 연료와 체력과 시간을 낭비할 경우 임무에 실패할 가능성이 높아진다. 다행히 두 번째 시도에서 밸브 이음새가 정확히 연결되었다.

나는 다시 우주선 위쪽으로 올라갔고 존은 나의 안전을 위해 잠시 꺼두었던 추진 로켓을 점화시켜 우주선의 자세를 바로잡았다. 이 과정에서 예정보다 많은 연료가 소모되었다. 지구로의 귀환에 필요한 연료를 감안하면 더 이상 연료를 낭비해서는 안 되었다. 실험 장비 회수 임무에 배당된 연료보다 더 많은 연료를 사용할 경우 임무를 완수하지 못한 채 귀환할 수밖에 없다.

우주총을 질소 탱크와 연결하고 다시 해치 위에 섰으니 이제 아제나 8호를 향해 유영할 준비는 모두 끝난 셈이다. 존이 아제나 8호와의 거리를 3미터로 계속 유지하고 있기 때문에 나는 우주총을 사용하지 않고 점프만으로 위성에 접근하기로 했다. 혹시 시속 29000킬로미터로 비행하는 우주선에서 어떻게 그런 일이 가능한지 의아해하는 독자가 있을지 모른다. 그렇다면 아제나 8호와 우주선이 정확히 같은 속도로 날아가고 있다는 것을 상기하길 바란다. 움직이는 두 물체의 이동 속도가 정확히 일치한다면 그 속도의 크기는 전혀 문제가 되지 않는다. 유능한 조종사인 존은 우주선의 속도와 방향을 아제나 8호와 똑같이 맞추고 있었다. 결국 아제나 8호는 움직이지 않는 것과 마찬가지였다. 그렇게 생각하면 열려있는 해치 위에 두 발을 딛고 있는 상태에서 3미터 정도 떨어져 있는 고정된 물체를 향해 점프를 한다는 것은 너무나 쉬운 일이다.

모든 준비가 끝난 내가 존에게 "존, 이제 그녀를 만나러 다녀올게!"라고 말하자 "재밌게 놀다 오라고, 친구!"라는 대답이 돌아왔다. 나는 온 신경을 양손 끝에 모으고 두 손으로 우주선을 박차며 허공으로 몸을 날렸다. 만일 양손의 미는 힘이 서로 다를 경우 힘이 약한 쪽으로 몸이 기울어지며 빙글빙글 돌게 될 것이다. 또한 나는 양발이 우주선에서 완전히 떨어질 때까지 안심할 수가 없었는데 발이 무언가에 걸려 몸이 앞쪽으로 넘어지며 회전하게 된다면 아제나 8호나 우주선에 부딪힐 때까지 계속 돌게 될 것이기 때문이다. 다행히 그런 일은 일어나지 않았고, 나는 목표한 방향으로 천천히 떠올랐다. 몇 초 후에는 아제나 8호의 뒷부분에 가볍게 충돌하며 한 손으로 위성의 꼬리 부분을 잡을 수 있었다.

처음으로 눈에 들어온 것은 도킹용 장치 부품 중 하나인 금속 링이 원래 위치에서 이탈한 채 불안하게 매달려있는 모습이었다. 하지만 그런 것에 신경 쓸 여유가 없는 나는 곧바로 위성의 앞쪽으로 이동하기 시작했다. 일단 두 손으로 위성의 도킹 고리 부위를 잡으려 했지만 그 부분이 좁고 미끄러운 데다가 끼고 있는 장갑도 불편해 수

월하지가 않았다. 내가 회수해야 하는 장비는 위성의 반대쪽에 부착되어 있기 때문에 나는 손을 하나씩 옮기며 위성을 돌아가야 했다. 그렇게 해서 실험 장비에 도착했을 때 나는 매우 당황했다. 몸을 멈출 수가 없었기 때문이다. 이동하던 방향으로 먼저 다리가 들리면서 왼손을 놓쳐 몸이 옆으로 누웠고 그 바람에 오른손까지 놓치면서 나는 위성에서 멀어지기 시작했다. 그 순간의 느낌을 표현하자면 불안함을 넘어선 오싹한 공포라고나 할까. 나는 우주에서 '추락'하고 있었다! 위성과 반대 방향으로 옆 구르기를 하듯 회전하면서 내 눈에 보이는 것은 온통 칠흑 같은 우주뿐이었다. 시야에 우주선이 들어온 것은 내 몸이 우주선 앞쪽의 약간 위 방향에서 약 6미터 떨어져 있을 때였다. 우주선의 해치가 눈에 들어왔고 존의 조종석 쪽에 달린 창이 보였다. 하지만 존은 나를 볼 수 없는지 무선으로 나의 위치를 물었다. 나는 우주선이 나의 왼쪽 아래쪽으로 보인다고 설명했지만 존은 여전히 내가 보이지 않는다고 했다. 어쨌든 우주선과 위성 쪽으로 다시 이동하는 것이 급선무였지만 몸을 움직일수록 아제나 위성과 우주선에서 점점 멀어질 뿐이었다.

하지만 걱정하지 마시라. 바로 이런 순간을 위해서 토요일마다 미끄럼 테이블 위에서 그토록 연습을 하지 않았던가! 나는 우주선 쪽으로 이동하기 위해 우주총을 사용하기로 했다. 그런데 우주총을 꺼내려고 손을 뒤로 뻗어 허리 부분을 더듬었을 때 아무것도 손에 잡히지 않았다. 이런! 다시 한번 공포가 엄습했다. 손을 계속 더듬어서 우주총과 연결된 호스를 찾아 당겨보니 그 끝에 우주총이 있었다. 아마도 아제나 8호에서 멀어지며 회전할 때 우주총이 고리에서 빠지면서 호스가 대신 그 자리를 차지한 듯했다. 나는 길게 늘어진 호스를 감아쥔 채 우주총의 질소 가스를 분사시켰다. 그러자 내 몸이 우주선 주위를 크게 원을 그리며 날아갔고 우주선의 뒷부분에 접근했다. 질소 탱크 부분을 잡고 가까스로 몸을 똑바로 세운 나는 천천히 열리는 해치를 향해 이동하기 시작했다.

그 순간 무선을 통해 들려오는 존의 말에 나는 다시 한번 기겁을 했다. 아제나 8호와의 균형을 맞추기 위해 고도를 낮추겠다는 것이었다. 나는 소리를 지르듯 말했다. "안 돼, 존! 고도를 낮추면 안 돼! 지금 고도를 낮추면 안 된다고!" 만일 그 순간에 존이 우주선의 고도를 낮추면 나는 다시 위쪽으로 튕겨 올라가며 허우적거릴 것이고 가까스로 몸의 균형을 잡아 우주선으로 되돌아오려면 또 얼마나 많은 시간과 연료가 허비될지 모를 일이었다. 더 염려스러운 상황은 우주선의 엔진이었다. 고도를 낮춘다는 것은 현재 내가 있는 위쪽을 향한 제트 분사구를 점화한다는 것을 뜻한다. 그 뜨거운 열기가 우주복에 닿았을 때 어떤 일이 일어날지는 아무도 모를 일이다. 최악의 경우 우주복이 녹아내린다면 여러분은 나의 이 흥미진진한 이야기를 듣는 행운을 결코 누리지 못했을 것이다.

다행히 존은 내가 다시 해치 위로 올라가 하체를 우주선으로 들여보낼 때까지 고도를 낮추지 않았다. 존은 내가 방금 전 점프를 시도하던 때와 똑같은 위치, 즉 아제나 8호의 뒤쪽 약간 아래로 우주선을 이동시켰다. 위성에 부착되어 있는 실험 장비를 회수하기 위한 두 번째 시도에서는 우주총을 사용하기로 결정했다. 나는 우주총을 들어 위성을 조준한 다음 방아쇠를 당겨 질소 가스를 분사했다.

몸이 조종석에서 서서히 떠올랐다. 우주선을 거의 다 빠져나왔을 때 왼쪽 발끝이 무언가에 걸려 떠오르는 속도가 조금씩 느려지면서 몸이 앞으로 기울기 시작했다. 다이빙 선수들은 멋진 준비 동작을 보여준 후에 등이 아닌 머리부터 입수한다. 나도 이 우주 다이빙에서 아제나에 등이 아닌 앞쪽부터 다가서고 싶었고 그러기 위해서는 우주총을 사용해서 상체를 일으켜야 했다. 우주총을 사용할 수 있는 시간적 여유는 몇 초밖에 안 되기 때문에 나는 서둘러 우주총을 분사했고 다행히 상체를 일으키는 데 성공했다. 하지만 그로 인해 떠오르는 속도가 빨라져 이미 아제나 뒷부분을 빠르게 지나치고 있었다.

나는 급히 왼손을 아래로 뻗어 위성의 꼬리 부분을 겨우 잡았지만 몸은 여전히 허공에 뜬 상태였다. 오른손을 도킹 고리 안쪽으로 넣자 전선뭉치가 만져졌다. 나는 조금 전과 같은 실수를 반복하지 않겠다고 다짐하면서 다시 양손을 차례로 옮겨 실험 장비가 있는 쪽으로 몸을 옮겨갔다. 실험 장비가 있는 위치에서 멈추려고 하니 이번에도 하체가 움직이던 방향으로 쏠렸다. 하지만 그것을 이미 예상하고 전선뭉치를 꽉 움켜쥐고 있었기 때문에 하체는 몇 번 요동치다가 이내 안정된 자세로 돌아왔다. 그 근방에도 헐거워진 채 매달려있는 금속 부품이 보였지만 “마이클, 시간이 얼마 없어”라는 존의 다급한 목소리를 듣고는 내가 회수해야 하는 실험 장비로 다시 눈을 돌렸다. 왼손을 뻗어 몇 개의 잠금장치를 풀고 잡아당기니 실험 장비가 너무나 쉽게 빠져나왔다.

적군을 물리치고 적의 비밀문서를 회수했으니 이제 우주선으로 돌아가야 한다. 나는 우주총을 사용하는 것보다는 생명줄을 잡아당기며 이동하는 것이 훨씬 안전하다고 판단했다. 우주총을 사용하면 직선으로 이동할 수 있어 시간이 절약되지만 이동 중에 속도를 줄일 방법이 우주총을 반대 방향으로 분사시키는 것 외에는 없었다. 하지만 이동 중에 우주총을 사용하는 데는 상당한 기술이 필요했다. 자칫하면 엉뚱한 방향으로 우주선에서 멀어질 가능성이 높았다. 그렇다고 속도를 줄이지 않고 그대로 우주선에 접근한다면 우주선과 강하게 충돌할 것이다. 두 손으로 생명줄을 잡아당기며 우주선에 접근하는 것은 그리 어렵지 않았다. 우주선을 중심으로 큰 원을 그리는 것도 큰 문제는 아니었다.

우주선에 도착한 나는 우선 회수한 실험 장비를 해치 안쪽으로 존에게 건네주었다. 그런데 체스트팩에 있어야 할 카메라가 보이지 않았다. 우주선으로 귀환하는 도중에 빠진 것 같았다. 임무 완료 시간을 늦추면서까지 애써 찍은 사진들을 잃어버렸다는 것은 지금 생각해도 너무나 아쉬운 일이다. 그중에는 그 이전은 물론이고 그 이후에도 보지 못한 멋진 사진들이 있었다. 아제나 위성과 제미니 우주선이 함께 보이는 멋진 사진도 그중 하나다. 혹시 나중에라도 지구 궤도에서 주인 없는 카메라를 발견하는 우주인이 있다면 조금 번거롭더라도 꼭 회수해서 나에게 돌려주면 감사하겠다. 사례비는 원하는 만큼 줄 수 있다!

실험 장비를 회수한 다음에 계획된 임무는 우주총 테스트였다. 그런데 그 임무는 취소되었으니 어서 빨리 우주선 안으로 들어와 해치를 닫으라는 지시가 지상으로부터 전달되었다. 현재까지의 연료 소비가 예상을 초과했다는 것이 가장 큰 이유였다. 나는 조종석 안쪽을 밟고 서서 생명줄을 끌어모으면서 비로소 여유롭게 주위를 둘러보았다. 두꺼운 장갑을 끼고 중노동을 한 손가락에서 오는 엄청난 피로감만 제외한다면, 몇 달간 걱정하던 임무를 완수했다는 안도감에 기분이 아주 상쾌했다. 그리고 그제야 비로소 지구가 저 밑에 있다는 것을 알아차렸다. 우주 유영 중에는 우주선과 아제나 위성에 완전히 몰입하느라 지구라는 행성에 신경 쓸 겨를이 없었다.

이제 남겨진 마지막 문제는 생명줄이었다. 상당한 무게가 나가는 산소 호스, 통신선의 15미터짜리 줄은 우주인에게 꽤 큰 부담감을 준다. 설상가상으로 그 호스는 내 몸을 몇 바퀴나 휘감고 있었다. 존은 아래에서 잡아당기고 나는 몸을 앞으로 밀면서 겨우 몸에 감긴 생명줄을 풀었다. 여전히 한 바퀴가 더 남아있었지만 크게 문제 될 일은 아니었다. 진짜 문제이자 최후의 문제는 해치를 닫을 수 있을 만큼 우주선 안으로 몸을 들여보내는 일이었다.

그때 내가 내려다본 우주선 안은 온통 생명줄로 꽉 차 있어서 존의 헬멧만 보이고 그의 어깨는 보이지 않을 정도였다. 나는 생명줄이 넘실거리는 우주선 안으로 몸을 꽂듯이 밀어 넣은 후에 무릎을 굽혀 어깨와 머리가 우주선 안쪽으로 들어가게 했다. 최소한 해치를 닫을 때 헬멧이 걸리지 않을 만큼의 공간이 필요했다. 나는 해치를 움켜쥐고 안쪽으로 잡아당겼다. 해치가 원형 입구에 닿으면 다행이지만 헬멧에 부딪힌다면 해야 할 일이 조금 더 남았다는 뜻이다. 즉, 몸을 다시 우주선 밖으로 빼내 우주선 내부를 좀 더 정리한 후에 다시 시도해야 한다.

독자들은 그 결과가 어땠는지 궁금할 것이다. 찰카닥! 해치는 부드럽게 닫혔다. 이제까지 들어본 소리 중에 가장 아름다운 소리가 아니었을까. 나는 잠금 손잡이를 빼내 몇 바퀴 돌려 해치를 잠갔다. 그러고는 존에게 농담을 건넸다. "어렸을 때 동물원으로 소풍을 갔는데 그때 본 뱀 우리에 들어와 있는 것 같군." 좁은 조종석 내부가 생명줄로 꽉 차 있다는 얘기였다. 생명줄과 우주 유영에 사용된 기타 모든 장비들을 한데 모아 커다란 가방에 집어넣는 데는 15분 정도가 걸렸다. 나는 해치를 열고 그 가방을 우주선 밖으로 미련 없이 내다버렸다. 이틀간의 우주 비행에서 세 번째로 해치를 닫을 때는 전혀 어려움이 없었다. 생명줄을 걷어낸 우주선 안은 발사대에서 본 대서양만큼이나 넓었기 때문이다. 나는 몸을 우주선 안으로 깊숙이 들여놓고서 다시 해치를 닫았다. 우리가 다음에 해치를 다시 여는 것은 지구로 귀환한 후가 될 것이다. 해치를 닫자마자 엄청난 허기가 몰려왔다. 우주 유영을 급하게 준비하느라 점심을 먹지 못한 것이 그제서야 생각이 났다.

식사 준비는 아주 간단하다. 닭고기 수프 분말 크림이 담긴 투명한 플라스틱 튜브를 열고 물을 넣기만 하면 된다. 물은 권총 모양의 수도꼭지와 연결되는 회색의 금속관을 거쳐 나오고 그 관은 뒤쪽의 기다란 물통과 연결되어 있다. 방아쇠를 당길 때마다 40그램 정도의 물이 나오는데 그 '권총'을 입에 대고 방아쇠를 당길 때 가끔은 불길한 상상을 하기도 한다. 어쨌든 물을 넣은 후에는 튜브를 꽉 쥐어 수프를 뭉개듯이 하면 물이 분말 사이로 스며든다. 이로써 식사 준비가 다 된 셈이다. 이제 튜브 한쪽을 잘라내고 입에 댄 다음 손으로 튜브를 눌러 먹으면 된다. 그러고 보면 우주에서의 식사는 먹는다기보다는 마신다는 표현이 더 정확하다. 그 차디찬 닭고기 수프의 달콤한 맛을 이후로는 다시 맛보지 못했다(우주선의 식수는 좀 차가운 편이다).

창밖으로는 말 그대로 우주가 펼쳐지고 있었다. 최고급 호텔의 꼭대기 층에 있는 전망 좋은 레스토랑에서 값비싼 프랑스 풀코스 요리를 먹는 즐거움도 비길 바가 아니다. 닭고기 분말 수프 다음 코스인 압축 베이컨까지 모두 먹어치운 우리는 놀이 기구를 타는 행운까지 누렸다.

연료를 아끼기 위해 우주선의 로켓을 꺼놓은 상태였기 때문에 우주선은 제멋대로 움직이고 있었다. 존과 나는 전투기를 조종해본 경험이 풍부해 비행기가 구르거나 공중제비를 도는 것은 물론이고 제자리에서 회전하는 것에도 익숙했다. 하지만 전투기를 옆이나 뒤로 조종해본 경험은 없었다. 우리가 타고 있던 그 쇳덩어리는 마치 가벼운 깃털처럼 크게 곡선을 그리며 천천히 떠다녔다. 우리는 너무나도 평화롭게 롤러코스터를 타고 있었다. 하지만 고음의 비명 소리도 들리지 않았고 엉덩이에 느껴지는 바퀴의 진동도 없었다. 예정대로라면 잘 시간이었고 피곤했지만 나는 자고 싶은 마음이 추호도 없었다. 이 아름다운 순간을 조금이라도 더 느끼고 싶을 뿐이었다.

우리는 지상 320킬로미터의 고도에서 6400킬로미터의 반지름을 가진 궤도를 돌고 있다. (우리는 지구 궤도를 43바퀴 돈 다음 귀환했다.) 지구를 오렌지에 비유하면 그 껍질보다 더 얇은 대기권 바로 위를 스치듯이 날고 있었다. 우주선은 시속 29000킬로미터로 날고 있지만 기차를 타고 가까운 물체를 보았을 때 나타나는 시야의 흐려짐도 없다. 우리의 높은 고도와 빠른 속도가 조화를 이루어 느린 속도로 이동하는 것과 같은 효과를 냈기 때문이다. 아래쪽에 보이는 지구의 지평선 모양이 구형으로 확실히 보이는 것도 그리 놀랄 만한 광경은 아니었다. 녹색의 정글과 갈색의 사막 지대가 확연히 보였지만 그보다는 푸른색의 바다가 검은색의 하늘과 만나는 수평선의 대조가 더 강하게 눈에 들어왔다. 하지만 그런 것들도 지구에서 보는 것과 그다지 다르지 않았다. 그렇다면 작은 창문을 바라보며 몇 달을 보내도 지루하지 않을 것 같은 이 느낌은 어디에서 오는 것일까? 무엇이 그렇게 특별하고 새로운 것일까?

지구를 아래쪽으로 내려다보는 순간에 내가 느낀 차이점은 아주 단순했다. 내가 90분에 한 바퀴씩 지구를 돌고 있는 것을 실감한다는 것이었다. 창문을 통해 지나가는 푸른색은 호수가 아니라 바다였다! 맙소사! 지금 손에 들고 있는 베이컨을 먹기 시작할 때 하와이를 지나왔는데 벌써 캘리포니아 해안선이 보인다. 위쪽의 알래스카도 보이고 아래로 멕시코도 한눈에 다 들어온다. 샌디에이고에서 마이애미까지 미국 대륙을 횡단하는 여행에는 9분이 채 걸리지 않았다. 나는 잠시 한눈을 파느라 로키산맥을 보지 못했지만 90분만 지나면 다시 볼 수 있으니 전혀 아쉬울 것이 없다.

또 다른 차이점은 날씨다. 무엇보다 한겨울인 남반구와 한여름인 북반구가 한눈에 들어오는 게 오묘했다. 하지만 이곳 우주선에는 아무것도 섞이지 않은 온전한 선홍색의 태양빛이 비추고 있을 뿐이다. 아래쪽에서는 맑고 흐리고 비가 오고 눈이 오고 있겠지만 우리 눈에 보이는 광경은 그런 날씨의 변화에 영향을 받지 않는다. 아름다운 옥빛으로 반짝이는 인도양이 몰디브 섬을 휘감아 미얀마의 해안가와 무성한 녹색의 정글 지대를 지나 고동색의 산맥으로 잦아드는 믿기 힘든 장관이 펼쳐질 뿐이다. 어디 그뿐인가. 마치 거인 같기도 하고 잘 꾸며진 정원의 나뭇잎 같기도 한 대만이 지평선으로 사라질 때쯤이면 태평양을 가로지른 우주선이 어느덧 하와이 섬 위를 지나고 있고 또 어느새 방금 못 보고 지나쳤던 로키산맥이 보인다.

하지만 이 세상의 모든 것에는 끝이 있게 마련이다. 90분의 세계일주에 감탄하고 있는 우리에게 지상 관제센터에서 취침할 시간이 지났다는 '경고성' 무선 연락이 왔다. 우리는 아쉽지만 얇은 금속판으로 창문을 가렸다. 지난밤보다는 주위 환경에 어느 정도 적응이 되었을 뿐만 아니라 격렬했던 우주 유영으로 피곤했기 때문에 두 번째 밤에는 훨씬 더 깊이 잘 수 있었다.

다음 날 아침을 든든히 먹은 후에 몇 가지 실험을 마치고 나니 지구로 귀환할 시간이 되었다. 귀환에는 우주선 뒤에 달린 4기의 고체 연료 역추진 로켓이 이용된다. 역추진 로켓이 따로 장착되어 있는 것은 아니고 우주선의 기수를 지상의 목표 지점과 반대 방향으로 하늘을 향하게 하면 된다. 그러면 하강하는 우주선의 속도가 줄어들어 안정적으로 대기권 궤도에 진입할 수 있다. 계획대로라면 하강 중 태평양 하와이 왼쪽 상공에서 역추진 로켓을 점화해 점차 하강 속도를 떨어뜨리면 약 30분 후에 플로리다 동쪽 대서양에 착륙하게 된다.

하지만 역추진 로켓을 점화시키기 위해서는 체크해야 할 것들이 상당히 많다. 현재 남은 연료로는 역추진 로켓을 단 한 번만 사용할 수 있기 때문에 모든 것이 완벽해야 한다. 가령 점화 고도나 방향을 잘못 설정하면 바다가 아닌 육지에 떨어져 우주선이 파괴될 수도 있고 현재의 궤도보다 더 높이 올라가버려 우주 미아가 될 수도 있다. 그래서 귀환 전 마지막 궤도를 도는 동안 우리는 점화 방향을 제외한 모든 항목을 최소한 열 번씩은 체크했다. 또 한 가지 중요한 일은 지상에서 우리를 도와준 여러 사람들에게 감사 인사를 전하는 것이었다. 그것은 우주인들 사이에 내려오는 전통이었다. 존과 나 역시 진심으로 고마운 마음을 전했다.

"체크 완료! 지상은 준비가 다 끝나고 대기 상태로 들어갑니다. 좋은 여행이 되기를 바랍니다." "수신 완료." 존이 대답하며 인사말을 시작했다. "정말 감사합니다. 여러분과 함께 임무를 수행한 것은 우리에게 큰 즐거움이자 영광이었습니다. … 그곳에 계신 모든 분들의 노고에 감사의 말을 전합니다." 존은 절대로 농담을 하거나 상투적인 인사말을 하고 있는 것이 아니었다. 지상 관제소의 동료들은 우리에게 정말로 큰 도움이 되었고 특히 아제나 10호를 찾느라 연료를 너무 많이 소모한 이후에 연료를 아끼는 데에 절대적인 역할을 했다. 그 크나큰 고마움에 대해 이 회고록을 빌려 다시 한번 감사의 마음을 전한다.

이제 로켓을 점화할 시간이 되었고 지상에서 카운트다운이 시작되었다. 5, 4, 3, 2, 1, 발사! 4기의 엔진이 차례차례 점화되는 것을 확인하면서 그 강력함에 우리는 다시 한번 놀랐다. 거의 3일 동안 무중력 상태에 있던 나는 가속도에 대한 감각을 거의 잊은 상태였다. 우주선이 발사되면 곧바로 1.5G의 중력이 발생하지만 무중력에 길들여진 나에게는 3G 정도로 느껴졌다. 존은 우주선을 조종했고 나는 우리가 어느 방향으로 향해야 하는지를 컴퓨터로 계산했다.

우주선이 상층 대기권에 진입한 직후에는 약 5분간 무선 교신이 되지 않는다. 이러한 현상이 일어나는 것은 우주선을 둘러싸고 있는 전하(電荷, 물체가 띠고 있는 정전기의 양으로 모든 전기현상의 근원이 되는 실체)와 우주선이 대기와 고속으로 마찰할 때 발생하는 전하 사이의 상호작용 때문이다. 우주선의 열 보호막은 앞쪽에 있었고 우리의 머리는 지상을 향한 채 낙하하고 있었다. 존은 컴퓨터에서 계산되어 나오는 정보에 따라 계속해서 경로를 변경했다. 이 과정은 비행기가 공항을 향해 선회하는 것과 같은데 차이가 있다면 우주선의 위아래가 바뀌었고 지면을 등지고 있다는 것이다.

뒤쪽을 돌아보니 우주선이 지나온 자리에 하얀 연기가 남아있었다. 그 연기는 열 보호막의 미세한 입자가 타면서 만들어내는 것이다. 쉽게 말하면 우주선이 품고 있을 마찰열을 연기 형태로 내보내는 것이다. 그 연기는 처음에는 얇고 희미했지만 점점 두꺼워지고 붉은색과 노란색으로 빛나기 시작했다. 그 무늬가 예쁘다는 생각이 드는 순간 중력은 4G까지 증가했지만 그리 오래 지속되지는 않았다. 마찰열이 가장 많이 발생하고 감속이 제일 큰 폭으로 이루어지는 구간을 이미 지난 것이다.

이제 낙하산을 펴야 하는 단계다. 먼저 너비 2미터의 보조 낙하산을 펼쳐 주 낙하산을 펼칠 수 있도록 우주선의 속도를 늦춰야 한다. 보조 낙하산이 펼쳐지자 우주선이 심하게 앞뒤로 흔들리기 시작했다. 하지만 이내 안정이 되었고 지상 3킬로미터 상공에서 너비가

20미터쯤 되는 주 낙하산을 펼쳤다. 우주선 창밖은 붉은색과 노란색의 나일론으로 꽉 찼다. 그런데 수직으로 낙하해야 할 우주선이 큰 원을 그리며 돌기 시작했다. 그런 회전은 우주선의 낙하 속도를 높여 바닷물과 충돌 시의 충격을 상당히 증가시킬 것이다. 다행히 우주선은 약간의 물보라를 일으키며 대서양에 착지했다. 흰색의 물거품은 점차 푸른색의 바닷물로 바뀌어갔다.

바다는 아주 고요했다. 우주선에는 당연히 갑판도 따로 없고 노를 저을 수도 없어 파도가 심할 경우 멀미를 할 수밖에 없다. 그래서 그런 고요함이 나에게는 이번 비행의 마지막 행운이라고 할 수 있었다. 로켓 중 하나에서는 아직도 연기가 피어나고 있었다. 우주선 안쪽은 무척이나 더웠는데 지난 3일간 우주에서 무척 건조하고 춥게 지냈다는 것을 비로소 실감할 수 있었다. 더위와 더불어 우리가 지구로 귀환했음을 알려준 것은 높은 습도, 뭔가 타는 듯한 냄새, 그리고 멀리서 들려오는 헬리콥터 소리였다. 그래도 역시 가장 크게 깨닫게 해준 것은 더위였다. 조금 후에 해치 문을 열고 밖으로 나가 우리를 마중 나온 고무보트로 옮겨 탔을 때 우주복 속에는 땀이 고여 있었다. 헬리콥터와 수송기를 갈아타면서 케이프케네디 기지로 복귀했다. 길고도 짧았던 우주 비행이 끝났다. 나는 그제야 우주복을 벗을 수 있었다.

최초의 유인 우주선
아폴로 7호,
하늘로 날아오르다

이제 나는 우주 비행의 날만 손꼽아 기다리던 애송이 우주인이 아닌 진짜 우주인이 되었다. 존은 환영식에 참석하기 위해 고향인 플로리다 주 올랜도로 갔다. 고향이라고 할 만한 곳이 없는 나는 짧은 휴가를 해변에서 가족과 보낸 후에 곧바로 아폴로 비행 준비에 들어갔다. 처음 보았을 때 그 복잡함과 정교함에 혀를 내둘렀던 제미니 우주선은 아폴로 우주선에 비하면 장난감 수준이었다.

아폴로 우주선은 두 부분으로 나뉜다. 사령선 모듈과 달 착륙 모듈이다. 사령선이 먼저 시험 비행을 하기로 계획되었기 때문에 나는 조종법부터 익혀야 했다. 수많은 파이프, 밸브, 레버, 손잡이, 브래킷, 다이얼, 조종간이 조종석 사방에 복잡하게 배치되어 있어서 한동안 그 안에만 들어가면 바보가 되는 느낌이었다. 제미니 우주선과 유사한 면이 있기는 했지만 아주 일부분이어서 처음부터 새로 배운다고 해도 과언이 아니었다. 스위치만 해도 300개 이상이었으니 내가 느낀 부담을 상상할 수 있을 것이다.

나는 프랭크 보먼, 톰 스태퍼드*와 한 팀을 이루었다. 프랭크가 선장이고 톰이 사령선 조종을 맡았다. 나는 (아직 착륙선은 만들어지지 않았지만) 착륙선 조종 임무를 맡았다. 우리 말고 몇 개의 팀이 더 구성되었지만 우주 비행 경험이 있는 조종사만으로 구성된 팀은 우리가 유일했다. 그래서 나는 달 표면에 처음으로 착륙하는 임무는 우리 팀이 맡게 될 거라는 꿈에 부풀어 있었다. (다른 멤버들과 함께 결국 이 꿈은 현실이 되었다.)

훈련은 무척 재미있었다. 예를 들어 착륙선 조종 임무를 맡은 우주인은 수백 시간의 헬리콥터 훈련을 반드시 소화해야 한다. 휴스턴에는 소형 헬리콥터가 두 대 있었다. 헬리콥터 훈련은 지금까지의 힘든 훈련과는 다르게 정말 즐거웠다. 오늘날의 현대식 헬리콥터는 자동화 시스템으로 움직이지만, 초기 모델을 조종하려면 훈련이 필요했다.

헬리콥터 조종을 배우기 위해서는 한 손으로는 배를 쓰다듬으면서 다른 한 손으로는 머리 위를 두드리는 그런 종류의 동작에 익숙해져야 한다. 즉, 헬리콥터를 조종할 때는 두 손을 쉴 새 없이, 그것도 서로 다르게 움직여야 한다. 왼손으로는 엔진 스로틀과 헬리콥터의 상하 운동을 조종하는 스틱을 잡는다. 헬리콥터를 위로 띄울 때는 왼쪽 스틱을 잡아당긴다. 그러면 날개가 약간 기울면서 더 많은 공기를 끌어들여 헬리콥터가 상승하게 된다. 그런데 그렇게 하면 날개의 회전 속도가 느려지기 때문에 스로틀을 함께 조종해야 한다. 그러려면 왼손의 스틱을 잡아당기는 동시에 손목을 비틀어 날개의 회전 속도를 일정하게 유지해야 한다. 그러는 동안 오른손은 또 다른 스틱을 잡고 발로는 방향 페달을 조종한다. 오른손 스틱 조종을 잠시라도 방심하면 헬리콥터는 상하 또는 좌우로 기울어진다. 방향 페달은 헬리콥터 기수가 정확히 목표한 방향을 향하도록 한다. 이렇게 두 손과 발을 동시에 움직이면 말 그대로 눈코 뜰 새 없이 바쁘게 움직여야 하지만 일단 능숙해지면 아주 재미있게 즐기면서 조종할 수 있다. 물론 배를 쓰다듬으며 머리를 두드리는 것보다 훨씬 더 재미있다.

헬리콥터는 제트기에 비하면 아주 느리지만 속도를 0까지 늦출 수도 있고 다양한 방법으로 이동이 가능해서 제트기보다 조종의 묘미를 훨씬 더 만끽할 수 있다. 그런 이유로 나는 헬리콥터 조종을 좋아했다.

우리가 헬리콥터 조종 훈련을 하는 이유는 착륙선이 달 표면으로 하강하는 원리가 헬리콥터의 수직 하강, 착륙과 유사하기 때문이다. 휴스턴에는 달 표면을 모방해 크레이터처럼 원 모양으로 파인 표면에 슬래그로 뒤덮인 훈련장이 있다. 슬래그는 다공성(多孔性) 암석처럼 보이지만 실제로는 철광석 성분이 녹아내린 후에 남은 일종의 재라고 할 수 있다. 훈련장은 전체적으로 회색을 띠고 있어 그 위에서 헬리콥터 하강 훈련을 할 때는 정말 달에 온 것 같은 착각에 빠지기도 했다.

훈련 시간은 이른 아침이나 늦은 오후인데, 이유가 있다. 크레이터에 비치는 헬리콥터의 그림자를 보고 현재의 고도를 가늠하는 연습을 하기 위해서다. 달에 착륙할 때 고도를 알 수 있는 방법은 그림자의 크기가 유일했기 때문이다. 어떤 때는 헬리콥터를 타고 날아가는 새를 뒤쫓기도 했는데 물론 훈련의 일부는 아니었다. 그때마다 느낀 점은 아무리 비행에 서투른 새라고 할지라도 나보다는 훨씬 유능한 조종사라는 것이다.

휴스턴에서의 헬리콥터 조종 훈련과 더불어 나는 사령선이 건조되고 있던 로스앤젤레스를 오가는 데에 많은 시간을 보냈다. 우리 팀의 임무 중 하나는 (우리가 첫 번째 달 착륙 팀이 될 것을 확신하게 만든 임무로) 사령선 내부와 구조 등을 완전히 숙지하는 것이었다. 나는 처음에 느꼈던 당황스러움을 극복하고 언제부터인가 각 스위치의 기능을 모두 알게 되었다. 그런데 이즈음에 아폴로 계획이 전체적으로 재조정되었다. 그 과정에서 톰 스태퍼드는 새로운 팀의 선장으로 자리를 옮겼고 내가 그 자리에 들어갔다. 내 자리에는 빌 앤더스가 들어왔다. 그래서 보먼-콜린스-앤더스로 구성된 새로운 팀이 만들어졌다. 그런데 이렇게 팀이 만들어지고 보니 나와 관련해서 한 가지 문제가 생겼다. 새로 생긴 규칙에 의하면 착륙선이 달에 착륙하기 위해 분리된 이후 사령선에 혼자 남는 우주인은 우주 비행 경험이 있어야 한다. 그런데 앤더스는 우주 비행 경험이 없으니, 그렇다면 사령선에 남는 사람은 내가 된다는 얘기다. 그래서 나의 임무는 착륙선 조종에서 사령선 조종으로 일종의 '진급'을 하게 되었다. 그날 이후로 팀원이 바뀌기는 했지만 나는 계속 사령선 조종 임무를 맡았다.

요즘에도 많은 사람들이 나에게 묻는다. "아폴로 11호 비행에서 왜 암스트롱과 올드린이 착륙을 하고 당신은 사령선에 남아있었나요? 그런 결정을 하게 된 특별한 이유라도 있나요?" 그 이면에 있는 여러 규칙과 팀의 변경 과정을 설명하는 것은 매우 복잡하고 힘든 일이라 나는 대답을 어물쩍 넘겨버린다.

사실 그런 결정이 내려졌을 때 나 역시 상당히 낙담했다. 달 착륙에 대한 미련 때문이 아니었다. 그 재미있는 헬리콥터 조종을 더 이상 할 수 없고 새를 쫓아다니는 비행도 할 수 없어서였다. 그리고 사실 사령선을 조종하는 일은 상당히 전문적이고 익히는 데에도 오래 걸리기 때문에 한 번 그 임무를 맡으면 다른 임무로의 변경이 거의 불가능할 것이라는 막연한 불안감도 있었다. 하지만 다른 한편으로 생각하면 이렇게 확실한 보직을 가지고 있으면 아폴로 계획에서 쉽게 제외되지 않을 것이라는 확신도 있었다.

또 하나 위안이 된 것은 우리 팀이 맡게 될 아주 특별한 우주 비행이었다. 우리 우주선은 그 당시로서는 최고 고도인 지상 6400킬로미터까지 올라가도록 예정되어 있었다. 그 정도 높이에서 지구를 내려다볼 경우 남극에서 북극까지 한눈으로 볼 수 있는데 그것 역시 인류 최초의 기록이 될 것이다.

1967년 1월 27일, 최초의 아폴로 유인 우주선이 발사 테스트를 하고 있었다. 그 안에는 거스 그리섬, 에드 화이트, 로저 채피가 타고 있었다. 선장인 거스 그리섬은 우주 비행 경험이 두 번이나 있는 베테랑으로 머큐리 계획의 리버티 벨 7호와 제미니 계획의 최초 유인 우주선인 제미니 3호 우주선을 타고 우주를 다녀왔다. 제미니 계획에서 한때 나의 파트너였던 에드 화이트는 미국 최초로 우주 유영에 성공한 우주인이다. 로저 채피는 나와 함께 우주인에 선발된 동기로 이번이 최초의 우주 비행이었다.

그들 세 명이 케이프케네디의 우주선 발사대에 서 있는 아폴로 1호의 사령선에 들어가 해치를 닫고 이륙 테스트를 하는 순간, 사령선 내부에서 화재가 발생했다. 지구의 대기는 산소의 비율이 20퍼센트인 데 반해 우주선 내의 대기는 100퍼센트 산소로만 이루어져 있다. 산소는 가연성이 높은 기체이기 때문에 화재는 순식간에 사령선 전체를 뒤덮었고 안타깝게도 세 명의 우주인은 탈출할 틈도 없이 모두 그 자리에서 목숨을 잃고 말았다. 이 비극적인 소식을 접한 휴스턴은 큰 충격과 비통함에 빠졌다.

우주 비행은 상당히 위험한 임무이고 그래서 인명을 잃을 수도 있다는 것을 누구나 알고 있었지만 그런 사고가 실제로 일어나자 모두가 망연자실했다. 게다가 사고가 일어난 시점이 우주 비행 중도 아닌 지상에서라니…. 도대체 무엇이 잘못된 것일까? 아폴로 계획은 어떻게 될 것이며 우리 우주인들은 이제 무엇을 어떻게 해야 하는 것일까? 그 세 명의 우주인이 최초이자 마지막 희생자일까, 아니면 수많은 인명 사고의 시작에 불과한 것일까? 마지막 질문에 확실하게 대답할 수 있는 사람은 없었지만 나머지 의문에 대한 답은 몇 개월 후에 나왔다. 화재 원인은 사령선 내부의 전기 연결 장치에서의 합선으로 인한 스파크였다. 이 스파크가 가연성 물질로 튀어 화재를 일으킨 것이다.

이후 사고 재발 방지를 위한 세 가지 조치가 이루어졌다. 첫째, 앞으로 설계될 모든 우주선 내부의 전기 시스템은 합선 가능성에 대한 면밀한 검토를 거쳐야 한다. 둘째, 가연성이 높은 우주선 내부의 모든 물질은 가연성이 낮은 물질로 교체한다. 셋째, 우주선이 궤도에 진입하기 전까지는 우주선 내부에서 100퍼센트 산소인 대기를 사용하지 않는다. 이러한 조치들이 실제로 실행되고 완료되기까지는 많은 시간이 소요되었다.

최초의 유인 아폴로 우주선의 비행이 이루어진 것은 세 명의 우주인이 희생되고 거의 2년이 지나서였다. 가장 힘들었던 부분은 기존의 우주선 건조에 사용되던 물질을 교체할 비가연성 물질을 찾아내는 일이었다. 예를 들어 기존의 우주복은 제일 바깥쪽이 나일론으로 구성되어 있었는데 그것을 불에 잘 타지 않는 베타 클로스라는 직물로 대체했다. 유리 섬유로 짜여 있는 이 직물의 한 가지 문제점은 내구성이 매우 약하다는 것이다. 즉, 무릎이나 팔꿈치 부분이 조금이라도 닳으면 주변의 조직들이 쉽게 분리된다.

이런 일이 무중력의 우주선 내부에서 발생한다면 분리된 미세한 가루들이 떠다니다가 호흡을 통해 우주인의 체내로 흡수된다. 폐로 들어간 유리 섬유 분진은 폐 조직을 손상시켜 치명적인 위험으로 이어질 수도 있다. 폐로 들어간 분진을 다시 빼낼 방법은 없다. 불에 잘 타지 않으면서 베타 클로스가 벗겨지는 것을 막을 수 있는 코팅재가 필요했다. 그렇게 선택된 것이 테플론이다. 이렇듯 최초의 한 가지 문제를 해결하다 보면 또 다른 문제가 발생하고 그 해결 과정에서 세 번째 문제가 발생하는 것은 1967년과 1968년 당시의 우주 비행 프로그램에서는 아주 흔한 일이었다.

1968년 10월 11일, 드디어 최초의 유인 아폴로 우주선이 하늘로 날아올랐다. (그 이전에 6회에 걸친 무인 우주선 비행이 있었기 때문에) 아폴로 7호라고 명명된 그 우주선에는 월리 시라, 돈 에슬레, 월트 커닝엄이 승선하고 있었다. 아폴로 7호는 지구 궤도에 열흘간 머물렀다. 비행은 성공적이었다. 그들이 무사히 지구로 귀환했다는 소식을 들었을 때 휴스턴의 우리 모두는 서로를 격려하며 기쁨을 나누었다. 하지만 지난해의 사고로 인한 공포심은 여전히 뇌리 속에 남아있었다. 그리고 그 비행이 아무리 성공적이었다고 하더라도 그것은 달 착륙과 안전한 귀환의 완수라는 긴 여정에서 보면 시작에 불과했다.

우리가 무사히 달에 착륙하기 위해서는 아직도 풀어야 할 숙제가 많이 남아있었다. 예를 들면, 아폴로 7호는 착륙선을 싣고 있지 않았다. 아직 건조가 완료되지 않았기 때문이다. 이번에 사용된 발사 로켓 새턴 IB호는 달까지의 비행에 필요한 거대한 새턴 5호의 막내 동생쯤 되는 크기였다(새턴 IB호의 높이는 68미터, 직경은 6.6미터, 무게는 590톤이며 2단으로 분리된다. 그에 비해 새턴 5호의 높이는 111미터, 직경은 10.1미터, 무게는 3,000톤에 육박하고 3단으로 분리된다). 우리는 달 착륙선과 새턴 5호의 개발이 너무 더딘 것은 아닌지 걱정했다. 그런데 내가 생각할 때 앞으로의 우주 비행을 위해 가장 시급한 것은 달에서의 임무를 완수한 착륙선이 달 궤도로 올라 다시 사령선과 도킹하는 것과 관련된 장치와 기술이었다.

만일 달 착륙선이 탐사를 마친 후 정확한 순간에 정확한 방향으로 발사된다면 사령선으로 접근해 다시 도킹하는 데에는 별 어려움이 없을 것이다. 하지만 발사 시간이 조금 이르거나 지연된다면 혹은 한쪽으로 치우치거나 기울어진 궤도에 진입한다면 많은 문제가 발생하고 따라서 도킹의 과정도 상당히 복잡해진다.

이런 문제도 있다. 착륙선의 궤도 진입이 예정보다 늦어져 사령선보다 한참 뒤에 떨어져 있는 경우다. 그러면 착륙선은 속도를 올려 사령선을 따라잡아야 한다. 단, 싣고 있는 산소의 양이 제한되어 있어 산소가 모두 소진되기 전에 끝내야 한다. 궤도상에서 더 빨리 비행하기 위해서는 고도를 낮추어야 한다. 즉, 사령선이 앞쪽에 있다면 착륙선은 고도를 낮추어야 한다. 고도를 어느 정도까지 낮출 수 있는지에 대한 답은 "달 표면의 산을 스치고 지나갈 때까지"다(달에는 대기가 없기 때문에 달 표면의 바로 위에서도 궤도 운동을 할 수 있다. 그에 반해 대기가 있는 지구에서는 대기를 벗어나야, 즉 160킬로미터 이상의 고도를 유지해야 궤도 운동이 가능하다). 그런데 고도를 최대한 낮추어 속도를 올려도 따라잡지 못할 만큼 사령선이 멀리 떨어져 있다면 어떻게 해야 할까? 그럴 때는 사령선의 도움이 필요하다. 즉, 사령선이 고도를 올려 속도를 늦추는 것이다. 하지만 여기에도 문제가 있다. 고도를 너무 높일 경우 달의 중력을 벗어나 궤도를 이탈하게 된다.

그런데 이렇게 두 우주선이 최대한 고도를 조정한다고 해도 불충분할 때는 다른 방법으로 문제를 해결해야 한다. 착륙선과 사령선의 역할을 바꾸는 것이다. 즉, 뒤의 착륙선은 고도를 올려 속도를 늦추고 앞의 사령선은 고도를 낮추어 속도를 올린다. 그렇게 되면 사령선이 한 바퀴를 더 돌아 착륙선 뒤에서 따라잡아 만나게 된다. 조금 다르게 표현하면 사냥감의 위치에 있던 사령선의 조종사가 거꾸로 사냥꾼의 역할을 하게 되는 것이다!

지금까지 설명한 것은 착륙선이 사령선 뒤편에 있다는 단 한 가지 상황에 대한 것이다. 이 외에도 달 궤도에서 도킹을 할 때는 수많은 문제들이 발생할 수 있다. 그 문제들을 해결하는 데 있어서 사령선 조종사는 어쩌면 구출자의 위치에 있다고 할 수 있다. 왜냐하면 지구로 귀환할 시간적, 물리적 한계점에 이를 때까지 도킹에 실패할 경우 사령선 조종사는 두 명의 동료를 남겨두고 홀로 지구로 귀환할 수밖에 없기 때문이다. 그런 상황은 상상도 하기 싫고, 내가 그 상황에 있다면 절대로 동료들을 놔두고 올 수는 없을 것 같다. 하지만 현명한 사령선 조종사라면 불필요한 희생은 피할 것이다.

이런 이야기를 들으면 누군가는 나의 우주인 생활이 고된 일과 근심으로만 꽉 차 있다고 생각할지도 모르겠다. 하지만 절대 그렇지 않다. 나는 에어쇼를 무척 좋아한다. 제트 비행기가 낮은 고도를 질주하며 회전과 공중제비를 하는 모습을 보고 있으면 나도 모르게 흥분하고 환호를 지르게 된다. 내가 직접 조종을 하는 것 다음으로 신나는 일이라고나 할까.

1967년의 어느 날, 아내와 함께 에어쇼를 구경하기 위해 파리로 며칠간 여행을 떠난 적이 있다. 그곳에서 우연히 소련 우주인 두 명을 만났다. 물론 그전까지 소련 우주인을 만난 적은 한 번도 없었고 가끔 그들의 생활이 어떨지 궁금하기는 했다. 특히 파벨 벨리야예프라는 우주인이 기억에 남는다. 통역관이 우주선과 관련된 특수 용어를 거의 몰라 가끔 의사소통이 어렵기는 했지만 그는 시종일관 친절했다. 우주인으로서의 생활이나 그에 대한 의견들은 나와 거의 비슷했다. 예를 들면, 우주인의 건강을 관리하는 의사들에 대한 불만과 그들이 우리를 위한답시고 우주선에 장착하는 의료 기구들에 대한 불평은 우리 둘 다 똑같았다. 1967년 당시 미국과 소련 사이에 상당한 긴장이 있었음에도 불구하고 그와 함께 우주선을 조종해보고 싶다는 생각이 들기까지 했다. 실제로 그로부터 8년 후인 1975년에는 두 명의 소련 우주인과 세 명의 미국 우주인이 최초로 우주에서 함께 비행하기도 했다. 소련의 소유즈 우주선을 아폴로 우주선의 사령선이 방문하는 형식이었다.

나는 그러한 시도가 큰 의미를 지닌다고 생각한다. 자신의 생사를 다른 누군가에게 맡긴다는 것은 신뢰가 필요한 일이다. 우주선을 건조한 기술자들과 지상에서 우리를 도와줄 동료들을 전적으로 신뢰하며 미지의 우주로 향하는 우주 비행이 좋은 예다. 두 국가 사이의 신뢰 구축에 우주 비행이 한몫을 한다면 다른 부문에서의 교류에도 큰 도움이 될 것이다.

파리에서 돌아온 뒤 본격적으로 아폴로 비행 준비에 매달렸다. 내가 익혀야 하는 것 중에는 G&N(유도 항법 시스템)도 있었다. 앞서 설명했듯이 데이비드 스콧이 연구를 맡았던 이 분야는 우주선 조종의 가장 복잡한 분야라고 해도 과언이 아니다. 무엇 하나 쉽게 이해할 수 있는 것이 없어서 완전히 익히는 데에는 많은 시간이 들었다.

기본적인 원리는 하늘의 별과 관련되어 있다. 우리가 육안으로 관찰할 수 있는 별의 수는 5,000~6,000개에 달한다. 밝기와 위치를 고려해 그중 37개의 별이 우리 우주 항해의 도우미로 발탁되었다. G&N을 익히기 위해서는 일단 그 37개 별의 이름과 위치를 모두 기억해야 한다. 그래야만 우주선이 어디를 향하든 그중의 두 개를 신속하게 찾아낼 수 있다. 일단 두 개의 별이 정해지면 육분의를 이용해 둘 사이의 각도를 정확히 측정한다. 그리고 우리가 정한 두 별과 그 각도를 컴퓨터에 입력해 현재 우주선의 속도, 방향 등의 정보와 조합

하면 지상의 도움 없이도 우주선 자력으로 달을 왕복할 수 있다.

별에 관해 공부하는 것도 재미있었다. 별을 관측하려면 구름의 방해가 없어야 한다. 그리고 북반구는 물론이고 남반구에서 보이는 별들까지 모든 별들을 한자리에서 관찰할 수 있어야 한다. 그래서 우리는 실제 하늘을 관찰하기보다는 성좌투영기(星座投影機, 실제 밤하늘에 보이는 별들을 돔형의 실내에 옮겨놓은 교육 및 연구 시설. 별의 위치는 물론 여러 행성의 궤도와 별자리, 별의 각종 운동 등을 시각적으로 보여준다)를 사용했다.

바다를 항해할 때 별자리를 활용한 최초의 문명은 아랍이다. 그래서 별의 명칭도 대부분 아랍식인데 아름답기 그지없다. 특히 내가 좋아하는 이름은 알타이르(견우성, 독수리자리의 주성), 데네브(백조자리의 주성), 베가(직녀성, 거문고자리의 주성), 에니프(페가수스자리의 2등성), 포말하우트(남쪽물고기자리의 주성), 눈키(사수자리의 2등성), 아다라(큰개자리의 1.5등성), 미르잠(큰개자리의 2등성), 멘카르(고래자리의 2.5등성), 알데바란(황소자리의 주성), 미르파크(페르세우스자리의 주성), 튜반(용자리의 주성)이다. 이 별들이 하늘의 어디에 위치하는지 지금도 기억하고 있다.

별들은 항상 일정한 자리에 있다. 그리고 아주 멀리 떨어져 있다. 지구에서 가장 가까운 별로 알려진 켄타우루스자리의 주성까지 거리는 약 4.3광년이다. 만일 우리가 빛의 속도(초속 30만 킬로미터)로 날아간다면 4년 3개월이 조금 더 걸린다. 아인슈타인 박사의 상대성

이론에 따르면 어떤 물체도 빛보다 빠를 수는 없다고 한다. 그러니 빛보다 훨씬 느린 우리가 (태양을 제외한) 다른 별에 가기 위해서는 상상을 초월하는 시간이 걸린다.

우리가 살고 있는 우주와 우리가 볼 수 있는 별들을 생각하다 보면 기분이 묘해진다. 가령 지구에서 310광년 떨어진 오리온자리의 주성인 베텔게우스(Betelgeuse)를 예로 들어보자(나는 그 별의 이름을 Beetle juice, 즉 딱정벌레 주스라고 발음했다). 누군가 밤에 마당에 나가 그 별을 향해 손전등을 비춘다고 할 때 그 빛이 베텔게우스에 도달하려면 310년이 걸린다. 하지만 310광년이라는 거리는 아주 가까운 편에 속한다. 우리가 보는 어떤 별들은 지구에 공룡이 나타나기 훨씬 이전에 그 별에서 출발한 빛을 이제 보고 있는 것이다.

내가 아폴로 비행 준비에 한창 몰두해 있을 때는 그것이 세상에서 가장 중요한 일이었다. 하지만 그것은 틀린 생각이었다. 우주인이라는 직업 못지않게 중요한 것은 바로 건강이다. 내 건강에 문제가 있음을 안 것은 핸드볼 경기를 하던 중이었다. 왼쪽 다리가 콕콕 쑤셔오더니 부분적으로 마비 증상까지 왔다. 그래서 제대로 뛸 수가 없었고 순간적으로 비틀거리며 몸의 균형을 잃기도 했다. 네 명의 의사에게 진찰을 받아본 결과 목뼈 부분에 문제가 있었다. 그 부분의 뼈가 자라서 척수를 누르고 있다고 했다. 척수에는 중요한 신경들이 많이 있기 때문에 그 부분에 압력이 가해지면 목 아래쪽에 여러 가지 문제가 발생한다.

의사들은 척수를 누르는 뼈를 제거하는 수술을 하자고 했다. 그러면서 나에게 한 가지 경고를 했다. 수술 후에 척수가 약해지거나 기타 여러 문제가 발생할 수도 있고 어쩌면 우주 비행을 영영 할 수 없을지도 모른다고 했다. 하지만 선택의 여지가 없었기에 수술을 받기로 결심했다.

입원하던 날, 나는 제미니 10호 비행 이후 지난 2년간 '진짜' 우주인으로 보낸 삶을 돌이켜보았다. 그것은 기대했던 매력적인 생활이라기보다는 힘든 훈련과 엄청난 학습의 연속이었다. 또 우주선 화재로 세 명의 동료를 잃는 슬픔도 겪었다. 중요한 수술을 앞두고 이런저런 생각에 마음이 뒤숭숭하기도 했지만 숨 가쁘게 달려온 지난 몇 년을 정리해볼 수 있는 좋은 기회로 받아들였다.

달 착륙을 위한
카운트다운이 시작되다

수술 후 깨어나 보니 목둘레를 플라스틱 링이 감싸고 있었다. 오른쪽 둔부에 통증이 느껴지고 음식물을 삼키기가 무척 힘이 들었다. 그 링은 수술 부위인 목을 고정하기 위한 것이었는데 3개월 동안, 심지어 잘 때도 목에 감고 있어야 했다. 둔부의 통증은 척수 부근의 새로운 뼈가 자라는 원인이 된 원 모양의 뼈를 제거했기 때문이다. 등 쪽에서 기형적으로 자란 뼈를 잘라낼 때 식도를 통해 수술을 한 것이 목 통증의 원인이었다. 일주일쯤 지나자 통증은 말끔히 사라졌고 퇴원을 한 것도 그즈음이다. 수술의 성공 여부는 3개월 후에 척수의 새로운 뼈가 어떻게 자랐는지를 봐야 알 수 있다고 했다.

그러는 사이에 보먼과 앤더스는 내 자리를 대신해 짐 러벨을 새로운 팀원으로 맞았다. 그 팀은 계획했던 6400킬로미터 상공 비행을 취소하고 대신 달까지의 왕복 비행 임무를 맡았다. 그 비행에 참가하지 못한 것이 너무나 애석했지만 그 당시 나에게는 건강이 중요했다. 3개월 후 엑스레이 촬영 결과 척수는 정상적인 모양으로 돌아와 있었다. 이제 플라스틱 링을 더 이상 끼고 있을 필요가 없게 된 것이다. 나사는 업무 복귀를 요청했다. 하지만 내가 하고 싶었던 우주선 조종이 아닌 보먼-러벨-앤더스의 비행 준비를 돕는 일이었다.

아폴로 계획의 초기 준비 단계였던 사령선의 지구 궤도 비행은 월리 시라와 그 승무원들이 이미 성공리에 마친 상태였다. 하지만 그렇다고 해도 착륙선까지 실은 사령선이 달까지의 왕복 비행을 무사히 마칠 수 있을지는 여전히 의문이었다. 인류 역사상 누구도 지구의 중력대를 벗어난 경험이 없었기 때문이다. 보먼의 팀이 승선할 아폴로 8호는 3일 후에 달이 지나갈 위치를 향해서 발사될 예정이었다.

이후의 비행이 순조롭게 이루어진다면 우주선은 지구에서 37만 킬로미터 떨어진 지점에서 달에 130킬로미터까지 근접하게 될 것이다. 그러면 우주선이 달의 인력에 끌려들어갈 수 있도록 엔진을 작동시켜 속도를 줄인다. 지구로 귀환할 때는 반대의 과정을 밟게 되지만 달의 인력을 벗어날 만큼 충분히 속도를 내야 하며 정확히 3일 후 지구의 예상 위치를 향해야 한다. 이 모든 것이 처음 시도되는 일이어서 불안한 것은 당연했다. 내가 맡은 임무는 지상의 관제센터에 있으면서 비행 중인 승무원들에게 필요한 정보를 전달하는 것이었다.

발사일이 되자 나는 극도로 예민해졌다. 무엇보다도 이번에 처음으로 사용되는 새턴 5호의 안전성 때문이었다. 얼마 전에 무인 새턴 5호의 최초 비행을 보고 그런 불안감이 생겼다. 우리는 안전 요원들의 지시에 따라 발사 지점으로부터 5킬로미터 밖에서 관측했는데도 발아래의 모래가 흔들리는 것을 느꼈다. 또 그 괴물의 꼬리에 달린 5기의 엔진에서 나오는 천둥 같은 소리는 우리 모두를 움찔하게 만들었다. 그런데 지금은 5킬로미터 밖이 아닌 바로 그 로켓의 맨 앞에 세 명의 우주인이 타고 있었다!

어쨌든 아폴로 8호는 1968년 12월 21일, 달을 향해 발사되었다. 우주선이 발사되면 그 경로가 관제센터의 화면에 점선으로 나타난다. 그 경로는 미리 계산되어 화면에 실선으로 표시된 이상적인 예상 경로와 비교된다. 만일 우주선의 진행 경로가 예상 경로와 다르면 나는 즉시 승무원들에게 무선으로 그 사실을 알려주어 사령선을 로켓으로부터 분리시켜 지구로 귀환하게 해야 한다. 다행히 로켓은 예상 경로를 벗어나지 않았다. 필요한 장치와 여러 사항들에 대한 모든 검토가 끝난 후 아폴로 8호는 드디어 인류 최초로 지구의 인력을 벗어나 우주 공간으로 날아갔다. 이번에도 예상 경로를 벗어나지 않으며 인류 최초인 '달나라 여행'을 시작했다. 나는 비로소 안도의 한숨을 내쉬었다. 이후 아폴로 11호의 달 착륙과 더불어 우주 개발의 중요한 획을 긋는 현장에 직접 참여할 수 있었던 것에 대해 나는 큰 자부심을 느꼈다.

3일 후, 아폴로 8호는 달 궤도에 진입했다. 무선을 통해 전해지는 그들의 목소리는 흥분한 관광객 같았다. 그들은 자신들이 육안으로 보는 달 표면을 지저분한 모래 해변 같다고 표현했다. 그날은 크리스마스이브였고 그들은 TV로 생중계되는 화면을 통해 성경의 한 구절을 읽기 시작했다. 창세기 제일 앞부분이었다. "태초에 하나님이 천지를 창조하시니라. 땅이 혼돈하고 공허하며 흑암이 깊음 위에 있고 하나님의 영은 수면 위에 운행하시니라. 하나님이 이르시되 빛이 있으라 하시니 빛이 있었고…."

짐 러벨은 임무를 마치고 지구로 귀환하던 중에 지구를 보고는 "광활한 우주 공간의 위대한 오아시스"라고 표현했다. 나는 아폴로 8호가 지구를 출발해 귀환하기까지 일주일 동안 승무원들과 무선 교신을 나누며 그들이 지구에 대해 가지는 느낌을 읽을 수 있었다. 흔한 말로 공기가 없어야 그 고마움을 알 수 있듯이, 지구에서 아주 멀리 떠나보니 그 고마움을 더욱 절실하게 느낀다는 것이었다.

비행이 끝나고 우주선이 태평양에 무사히 안착하는 순간, 나는 커다란 기쁨과 슬픔을 동시에 느꼈다. 모든 비행이 아무런 사고 없이 훌륭하게 마무리되었다는 것은 기쁜 일이었다. 하지만 수술만 아니었으면 러벨이 아닌 내가 그 자리에 있었을 것이라는 아쉬움을 끝내 떨쳐버릴 수 없었다. 달까지의 우주여행을 포기하는 대가로 내가 얻은 것은 목에 난 수술 흉터 그리고 그렇게 뒤처진 시간을 어떻게든 따라잡아 아폴로 계획에 우주인으로 참여하고 싶다는 갈망이었다.

그러한 갈망이 현실로 이루어지는 데는 그리 오랜 시간이 걸리지 않았다. 내가 닐 암스트롱, 버즈 올드린과 함께 아폴로 11호의 승무원으로 결정된 것이다! 아폴로 11호가 인류 최초로 달 착륙을 시도하게 될 것이라는 계획도 전해졌다. 그러기 위해서는 남은 두 번의 비행인 아폴로 9호와 10호에서 완벽에 가까울 정도의 비행이 이루어져야 한다. 아폴로 9호는 비록 지구 궤도에서지만 처음으로 착륙선을 테스트할 것이다. 아폴로 10호는 달 궤도에서의 사령선과 착륙선의 랑데부 등 착륙을 제외한 모든 과정에 대한 예행연습을 이행 할 것이다. 나는 아폴로 11호가 달 착륙을 시도할 가능성을 50퍼센트 정도로 예상했다. 그 결과는 앞으로 6개월 이내에 나올 것이고 그사이에 나는 다시 시뮬레이터 훈련에 돌입해야 한다. 시뮬레이터만큼 사령선 조종에 필요한 기술과 정보를 얻을 수 있는 방법은 없기 때문이다.

사령선 시뮬레이터 내부는 실제 사령선과 똑같이 생겼지만 겉모습은 완전히 다르다. 시뮬레이터 창에는 커다란 상자 모양의 화면이 달려있다. 그 화면은 비행 중에 우주에서 보게 될 별이나 우주선의 모습을 그대로 재연해준다. 시뮬레이터에 연결된 대형 컴퓨터는 어떤 비행 조건과 위치에서도 우주선과 지구의 거리, 사령선과 착륙선의 거리를 계산해서 나에게 알려준다. 시뮬레이터의 외형은 상자 여러 개를 아무렇게나 쌓아놓은 모습이다. 그것을 가리켜 존 영은 "탈선한 대형 열차"라고 표현했는데 그리 틀린 말은 아니다.

때로는 닐과 버즈도 시뮬레이터에 함께 들어와 세 명의 승무원이 모두 관여하는 발사와 지구 궤도 재진입 같은 과정을 훈련했다. 하지만 그보다는 따로 마련된 착륙선 시뮬레이터에서 각각 훈련하는 경우가 더 많았다. 내가 훈련하는 사령선 시뮬레이터와 그들의 시뮬레이터는 각각의 컴퓨터 제어 장치를 가지고 있고 그 두 컴퓨터는 모두 관제센터의 컴퓨터와 연결되어 있다. 우리가 각각 달 궤도를 선회하고 있으며 도킹을 위해 랑데부하는 것을 가정한 상태에서 컴퓨터는 그에 소요되는 시간과 연료를 계산해서 알려준다. 몇 개월의 훈련을 통해 우리는 시뮬레이터 비행에 점차 능숙해졌다. 그리고 마침내 더 이상의 시뮬레이터 훈련이 필요 없다는 결론을 내렸다. 실제 비행을 위한 준비가 완료된 것이다.

아폴로 11호가 최초의 달 착륙선이 되기 위해서는 준비부터 기존의 우주선들과는 달라야 했다. 그중의 하나가 병균 감염에 대한 대처다. 지금까지의 우주 비행에서는 병원균에 대해 걱정할 필요가 없었다. 우주 공간은 병균이 존재할 수 없는 진공이기 때문이다. 하지만 이제 우리는 달에 착륙해 달의 표면과 직접 접촉을 하게 될 것이다. 달에 어떤 병원균이 있다고 가정하면? 그것이 우주복이나 인체를 통해 지구로 옮겨진다면? 그리고 그것이 지구의 식물을 죽이거나 사람의 목숨을 빼앗을 만큼 치명적이라면? 비록 이러한 가정이 실제로 일어날 것이라고 생각하는 과학자는 몇 되지 않았지만 상상할 수 있는 모든 가능성에 대비해야 했다. 따라서 우리 세 명의 우주인은 비행이 끝난 후에 한동안은 바깥세상과 격리되어 지낼 것이다. 우리가 자유롭게 활동할 수 있는 시기는 "병원균에 감염되지 않았다"라든가 최소한 (일반적인 지구의 병원균까지 완전히 제거할 수는 없으므로) "달로부터 병원균을 옮겨오지 않았다"라는 확인을 받은 후가 될 것이다.

격리는 다음과 같은 과정으로 진행된다. 지구로 귀환한 후에 우주선의 해치를 열면 해군 잠수부가 우리에게 고무복 세 벌을 넘겨줄 것이다. 그 고무복은 우리의 머리에서 발끝까지 전체를 완전히 덮어 만약 병원균이 있다고 해도 외부로 나오지 못한다. 우리는 그것을 입은 다음에야 우주선 밖으로 나올 수 있고 헬리콥터를 이용해 항공모함으로 이동한다. 항공모함에는 이동식 주택처럼 생긴 알루미늄 상자가 준비되어 있고 우리는 그 안에 격리된다. 항공모함이 하와이에 도착하면 우리가 들어가 있는 알루미늄 상자는 수송기에 실려 휴스턴의 한 건물로 공수된다. 그 건물은 외부와 차단하기 위해 특별히 만들어졌다. 우리는 몇 주 동안 그 건물에 머무르면서 의사와 과학자들로부터 각종 검진을 받게 된다. 우리가 어떤 질병의 증상도 보이지 않고 신체에서 특이한 병원균도 발견되지 않았다는 확신이 서기 전에는 그 건물을 벗어나지 못한다.

사실 나는 병균에 대해서는 전혀 걱정하지 않았다. 아마도 그런 낮은 가능성에 신경 쓸 겨를이 없었던 탓일 것이다. 신문 기자들이 인터뷰하면서 자주 묻는 것 중의 하나가 이번 비행에서 어떤 부분이 가장 위험할 것으로 예상하느냐였다. 나는 보통 이렇게 대답했다. "우리가 준비 과정에서 소홀히 했거나 과소평가한 부분일 것입니다." 바꾸어 말하면, 우리가 실제로 위험하다고 생각하는 것에 대해서는 충분히 대비를 하고 있었지만 만일 아무도 예상하지 못한 사소하면서도 중요한 문제가 발생한다면 아무런 대비책이 없기 때문에 우주 비행이 위험에 빠질 수도 있다는 것이었다. 8일간 진행될 비행에서 중요한 단계로 생각되는 것들을 나는 11개로 정리했다.

1단계 》 발사. 가장 위험한 순간이다. 거대한 엔진이 고온의 가스를 뿜어내고 무시무시한 돌풍이 몰아친다.

2단계 》 항로 진입. 새턴 5호의 엔진이 마지막으로 점화되는 순간으로 아폴로 11호에 달까지 비행할 수 있는 추진력을 제공한다.

3단계 》 위치 전환과 도킹. 사령선을 새턴 로켓의 앞쪽으로부터 분리한 후에 회전해서 새턴 로켓과 사령선의 중간에 장착되어 있던 착륙선과 합체한다. 그리고 사령선을 후진시켜 착륙선과 새턴 로켓을 분리하는 과정이다.

4단계 》 달 궤도 진입. 달의 중력에 이끌릴 수 있을 만큼 우주선의 속도를 늦추는 과정이다. 단, 속도를 너무 늦추면 달 표면과 충돌하게 된다.

5단계 》 달 착륙선 하강. 닐과 버즈가 최고의 집중력과 조종 기술을 발휘해야 하는 순간이다. 달 표면의 정확한 지점에 착륙할 수 있도록 시야를 확보해야 하고 착륙 지점의 상태도 파악해야 한다.

6단계 》 착륙. 가장 위험 가능성이 높은 순간이다. 연료를 모두 소진해 추락할 수도 있고 착륙선이 일으키는 먼지가 시야를 방해할 수도 있다. 혹은 착륙 지점의 지형이 고르지 않아 착륙선이 기울어지거나 쓰러질 수도 있다. 그 원인이 무엇이든 착륙선의 파괴는 아폴로 11호의 실패 이전에 닐과 버즈를 우주 미아로 만들 수도 있다.

7단계 》 선외 활동. 달 표면에서의 활동은 상당히 피곤할 수 있다. 닐과 버즈가 넘어져 부상을 입거나 우주복 혹은 그에 부착된 장치가 파괴될 수도 있다. 약한 지반이 그들의 몸무게로 인해 함몰될 수도 있다.

8단계 》 착륙선 이륙. 착륙선의 엔진이 작동하지 않는다면 닐과 버즈는 달을 떠나지 못하게 된다.

9단계 》 랑데부. 이번 비행에서 가장 복잡한 과정이다. 사령선과 착륙선의 위치 등 여러 조건에 따라 18가지 종류의 상황으로 나뉜다.

10단계 》 귀환 항로 진입. 달의 중력대를 벗어나 지구로 향할 수 있을 만큼의 추진력을 얻기 위해 사령선의 엔진을 점화하는 순간이다.

11단계 》 지구 진입. 우리는 지구의 대기에 정확한 각도로 진입해야 한다. 그 각이 너무 작으면 지구를 지나쳐 우주로 날아가게 되고, 반대로 그 각이 너무 크면 마찰열로 인해 우주선은 공중에서 타버릴 것이다.

11개의 단계는 마치 목걸이처럼 서로 연결되어 있어서 고리가 하나만 끊어져도 모든 것이 수포로 돌아가고 만다. 물론 아폴로 11호에 앞선 우주선들의 비행에서 모든 가능성에 대한 검토와 연습이 있었다. 월리 시라가 선장이었던 아폴로 7호 비행에서는 사령선의 여러 기능과 성능에 관한 검사가 이루어졌다.

아폴로 8호는 사령선으로 달까지 왕복 비행을 무사히 마쳤다. 짐 맥디빗과 아폴로 9호 승무원들은 착륙선을 테스트했다. 그리고 마침내 톰 스태퍼드를 선장으로 한 아폴로 10호는 착륙을 제외한 달 궤도까지의 모든 비행 과정에 대한 예행연습을 성공리에 마쳤다.

달 착륙 외에도 이번 비행은 예전의 모든 비행과 확연히 다른 점이 있었다. 우리에게 쏠리는 전 세계의 관심이다. 그 관심은 8년 전 케네디 대통령이 1970년대에 들어서기 전에 달에 인간을 착륙시키고 다시 안전하게 지구로 귀환시키겠다고 선언한 이후 계속 이어져온 것이다. 우주를 비행한다는 것은 어떻게 보면 상당히 두려운 경험이다. 장비와 기술을 완벽하게 신뢰하지 못했던 초기에는 그런 면이 더 강했고 제미니 10호 비행 이전에는 나 또한 그랬다. 하지만 이번 비행에 대한 느낌은 그때와는 전혀 달랐다.

제미니 10호는 아폴로 11호에 비하면 작은 시골 도시의 조촐하고 짧은 지역 행사에 불과했다. 전 세계가 우리를 지켜보고 있기 때문에 어떤 실수도 용납될 수 없다는 중압감은 제미니 10호 비행을 준비할 때는 느껴보지 못한 감정이었다. 만약 우리 중 누군가의 실수로 비행을 그르칠 경우 우리가 감수해야 하는 조롱은 미국 전체에 대한 조롱이 될 것이다. 그러한 부담감은 발사 예정일인 1969년 7월 16일이 가까워오면서 밤잠을 설칠 정도로 커져만 갔다.

물론 모든 인간이 그렇듯이 나 또한 실수에서 자유로울 수는 없다. 델라웨어 주 도버에서 텍사스 주 휴스턴으로 비행하던 어느 날 밤이었다. 눈에 익은 지형을 언뜻 내려다보니 내가 고등학교를 마쳤고 그때까지도 나의 모친이 살고 있는 워싱턴이 보였다. 내가 다니던 고등학교가 어디쯤인지를 찾던 중 깜짝 놀랄 수밖에 없었다. 그 도시는 워싱턴이 아닌 볼티모어였던 것이다. 어쩌면 그때까지 나는 계속 두 도시를 혼동하고 있었을지도 모를 일이었다. 그렇게 바로 위에서 내려다보면서도 워싱턴과 볼티모어를 구분하지 못하는 '길치'가 달까지 왕복 비행을 성공적으로 마쳤다는 게 의아스러울 뿐이다.

우리가 비행하기 전에 신경을 써야 하는 자질구레한 사항은 수백 가지가 넘었다. 그중 하나가 우리 비행을 상징하는 엠블렘을 도안하고 우주선에 이름을 붙이는 작업이었다. 나사는 우주선 이름에 크게 신경 쓰지 않았다. 그래서 머큐리 우주선 이후로 제미니 우주선부터는 단순하게 숫자를 이용해서(제미니 10호 등) 불렀지만 이번에는 아폴로 11호라고만 부를 수가 없었다. 사령선과 착륙선이 각각 비행을 하는 경우에 무선으로 아폴로 11호라고 하면 구분을 할 수 없기 때문이다. 아폴로 9호는 각각의 외형에 착안해 사령선을 검드롭호, 착륙선을 스파이더호라고 불렀다.

우리는 좀 더 품위 있으면서도 우리 비행의 중요성을 담은 이름을 붙이고 싶었다. 엠블럼에도 우주선 자체를 나타내기보다는 우리의 달 착륙이 평화를 상징한다는 것을 표현하고 싶었다. 미국의 상징은 독수리다. 어느 날 밤 나는 「내셔널지오그래픽」에서 지면에 착륙하는 독수리 그림을 찾아냈다. 그림 아래쪽에 달 표면을 그리고 배경에는 지구를 조그맣게 그려 넣었다.

그런데 지구를 그릴 때 한 가지 실수를 했다. 태양이 위치하는 방향대로라면 지구의 모습은 A여야 하는데 내가 그린 지구의 모습은 B였다. 아무도 나의 실수를 발견하지 못했고 공식 엠블럼에도 그대로 사용되었다.

모두가 나의 그림을 마음에 들어했지만 독수리만으로는 평화를 나타내지 못한다는 의견이 많았다. 그래서 누가 제안했는지는 기억나지 않지만 독수리 발톱 아래쪽에 평화의 상징인 올리브 나뭇가지를 그려 넣었다. 그렇게 해서 우리의 엠블렘이 완성되었다. 착륙선의 이름은 엠블렘에서 착안해 이글호라고 별 고민 없이 정했다. 하지만 사령선에 걸맞은 이름을 정하는 것은 정말로 힘들었다. 우리는 크리스토퍼 콜럼버스의 탐험정신과 우리의 달 탐험을 연결해 사령선의 이름을 컬럼비아호로 최종 결정했다.

휴스턴에서 생활하던 닐과 버즈와 나는 7월이 되자 케이프케네디에 특별히 마련된 장소로 거처를 옮겼다. 병균 등에 의한 감염으로 발사 일정에 차질이 생기지 않도록 하는 차원에서 취해진 일종의 격리 조치였다. 물론 우리 주위에는 여전히 많은 사람들이 있었고 또 그래야만 했다. 전속 요리사도 있었는데 그의 목표는 발사 전까지 우리를 최대한 뚱뚱하게 만드는 것이었다. 하루는 닉슨 대통령이 우리와 함께 저녁식사를 하기 위해 방문하고 싶다는 뜻을 전해왔다. 하지만 나사의 의사들은 그가 우리에게 병균을 옮길 수도 있다는 이유로 반대했고 결국 대통령은 우리를 만나지 못했다. 지금 생각해도 정말 어이가 없는 일이다.

발사 전 며칠간은 T-38기를 조종하는 즐거운 시간을 보내기도 했다. 임무 수행의 중압감에서 잠시나마 해방되어 기분 전환을 할 수 있는 시간이었다. 하지만 원래의 목적은 곡예비행을 통해 내이의 내임파액을 불안정한 상태로 뒤섞는 것이었다. 무중력 상태에서는 내임파액이 내이에서 떠 있게 되므로 신체를 좀 더 무중력 상태에 적응시키려는 시도였다. 물론 우주에서 일어나는 전체적인 신체 변화에 비하면 큰 차이는 없었지만 우리는 우주 비행에 신체를 적응시키는 일이라면 무엇이라도 하고 싶었다. 우주 비행을 하는 우주인들에게 가장 흔히 나타나는 증상이 복통인데 곡예비행이 그러한 점을 조금이라도 예방해줄 것이라 믿었다. 어쨌든 나는 무수히 많은 공중제비와 회전을 하며 상쾌함을 느꼈다. 이제 비행을 위해 더 이상 준비할 것은 없어 보였다.

달에 새긴 인류의 첫 발자국,
그것은 작은 시작에
불과하다

1969년 7월 16일 새벽 4시, 데크 슬레이턴이 나를 깨웠다. 제미니 10호는 오후에 발사되었지만 아폴로 11호의 발사 예정 시간은 오전 8시 32분이다. 발사대에 오르기 전에 해야 할 일이 많았기 때문에 서둘러 면도와 샤워를 마치고 간단한 신체검사를 받았다. 그리고 닐과 버즈 그리고 동료 몇 명과 아침식사를 했다. 발사일의 아침식사 메뉴는 전통적으로 스테이크와 달걀이다. 평소의 식사량보다 훨씬 많은 양을 먹었지만 스테이크는 아무리 많이 먹어도 질리지 않을 만큼 아주 좋아하는 음식이다.

식사 후에는 다시 침실로 돌아와 정성 들여 양치질을 했다. 그런 다음 옷가방 두 개를 챙겼다. 하나는 휴스턴에 있는 집으로 보낼 것이고 또 하나는 귀환 후에 2주간 머물 달 시료 연구소에서 입을 옷들을 넣은 가방이다. 물론 우리가 달 착륙에 실패하거나 귀환하지 못할 경우 두 번째 옷가방은 영원히 필요 없게 된다.

다음 단계는 한 시간에 걸쳐 우주복을 입고 새는 곳이 없는지 검사하는 것이다. 그 단계를 마치고 건물 밖을 나서자 그동안 우리의 비행을 함께 준비했던 수백 명의 사람들이 밖에 나와 손을 흔들고 소리를 지르며 우리를 배웅해주었다. 밀폐된 헬멧을 쓴 상태라서 그들이 하는 말을 들을 수는 없었지만 우리는 미소를 지으며 손을 흔들어 답례했다. 그러고는 곧바로 소형 밴을 타고서 13킬로미터 떨어진 발사대로 향했다. 발사대로 향하는 도로에는 차들이 거의 움직이지 못하고 멈춰 있었다. 아폴로 11호 발사를 보기 위해 관광객들이 몰려든 탓이다.

우리는 사이렌을 울리며 갓길을 통해 고속도로의 관광객들을 지나친 후에 좁은 샛길로 빠져 지름길로 들어섰다. 플로리다의 하늘은 오늘이 매우 화창한 날이 될 것임을 예고하고 있었고, 무척 더운 날이었지만 우주복 속에 들어가 있는 나는 시원한 산소의 흐름만 느껴졌다. 우리를 태운 차는 발사대에 우뚝 서 있는 새턴 5호를 향해 점점 다가가고 있었다. 그 순간 평소에 그 로켓을 올려다볼 때마다 느꼈던 두려움 혹은 경외심 같은 것이 되살아났다.

새턴 5호는 말 그대로 괴물이다. 그 높이는 제미니 우주선들이 사용했던 타이탄 로켓의 3배 이상으로 풋볼 경기장의 지붕보다 높았다. 또 다른 비유를 하자면 세상에서 가장 높은 삼나무보다도 훨씬 높았다. 다가갈수록 점점 더 크게 보이는 그 로켓의 강한 인상은 발사를 코앞에 둔 긴장감과 어우러져 내 심장을 더욱 요동치게 했다.

우리를 태운 차는 로켓의 가장 위에 달린 우주선까지 타고 올라갈 엘리베이터 앞에 멈춰 섰다. 그때 나는 평소와 다른 점을 발견했다. 전에 이곳에 올 때는 항상 시끄러웠고 로켓을 설치하는 기술자와 일꾼들이 분주히 움직이고 있었다. 하지만 그들의 일이 모두 끝난 지금 그곳은 우리 말고는 아무도 없어서 마치 사막이나 폐허가 된 옛 도시에 온 느낌이었다. 새턴 5호도 평소와는 다르게 보였다. 등유와 초저온 액체 산소와 수소를 가득 채운 로켓은 햇빛을 받아 눈부시게 빛나고 있었다. 액체 산소와 수소 탱크를 실은 로켓의 차가운 표면은 습도 높은 플로리다의 공기가 닿아 생긴 얼음으로 뒤덮여있고 얼음에서 솟아오르는 증기는 로켓에 생동감을 더하고 있었다.

엘리베이터를 타고 로켓 제일 꼭대기에서 우리를 기다리고 있는 우주선으로 올라가면서 우리의 달 여행은 이미 시작된 듯했다. 우리는 지구의 표면을 떠나 상공으로 오르고 있었던 것이다. 엘리베이터에서 내려 고개를 돌려보니 아름다운 해변과 짙은 푸른색의 고요한 대서양이 한눈에 들어왔다. 한쪽에는 바다뿐이고 다른 쪽에는 로켓과 정비탑과 파이프와 케이블에 어지럽게 얽혀 있는 거대한 기계 더미만 보였다. 그 광경은 엄청나게 대조적이었다. 비행을 마치고 돌아오면 꼭 저 해변의 반짝이는 모래 위에 누워 한가한 시간을 보내겠다고 다짐했다. 하지만 앞으로 8일간은 이 우주선의 좁은 공간이 나의 집이 될 것이다. 그리고 나는 해변에서의 한가로움은 일단 접어두고 수백 개의 스위치 조작에 집중해야 한다.

닐, 버즈와 함께 엘리베이터와 사령선인 컬럼비아호 사이에 놓인 좁은 다리를 건너자 우주선 탑승을 도와줄 기술자들이 우리를 반갑게 맞아주었다. 그 팀의 리더는 권터 벤트였는데 발사 당일에 우주인들은 그에게 농담을 건네는 전통이 있다. 권터는 지난 한 달 동안 나에게 자신이 얼마나 대단한 낚시꾼이며 자신이 잡은 숭어가 얼마나 컸는지에 대해 쉴 새 없이 떠들어댔다. 나는 작은 숭어를 구해 나무판에 못으로 고정한 후에 그 밑에 '감사패: 권터를 위한 숭어 트로피'라고 적었다. 우주선에 오르기 직전에 그 선물을 종이가방에서 꺼내 건네주면서 우리는 한바탕 유쾌하게 웃었다. 몇 년 후에 권터는 아직도 그 선물을 냉장고 깊숙이 보관하고 있다고 말했다. 하긴 생물고기를 보관할 장소가 거기 말고 또 어디 있겠는가.

우리는 우주선에 탑승한 후에 권터 팀이 발사대 주변을 벗어나는 몇 분간 마지막 점검을 했다. 내가 오른쪽 조종석에 누워있었고 버즈가 가운데에, 닐이 왼쪽에 앉아있었다. 만일 이륙 과정 중에 어떤 문제가 발생한다면 닐이 왼손으로 잡고 있는 손잡이를 비틀어 우주선을 분리시켜 자체에 장착되어 있는 3기의 소형 엔진을 이용해 탈출하게 된다. 이러한 안전조치는 최악의 상황에서 실행된다.

앞으로 8일 동안의 비행이 예정대로 진행된다면 사실 우리의 임무는 굉장히 단순했다. 문제는 우주선의 수많은 기계 장치들이 완벽하게 작동하느냐는 것이다. 또한 달에서의 여러 조건이 우리가 예측한 것과 다를 수도 있다는 것이다. 수많은 조건 중 하나라도 잘못되거나 우리의 예상을 빗나가도 비행은 실패 혹은 미완성으로 끝나게 된다. 그래서 나는 이번 비행의 모든 과정이 예정된 계획과 오차 없이 진행될 확률은 절반이 채 안 된다고 생각했다. 하지만 그런 생각을 할 겨를이 없었다.

무선 너머의 목소리가 로켓 발사를 위한 카운트다운을 하고 있었다. 발사 9초 전에 1단계 로켓 5기의 엔진이 점화되었다. 이때 관제센터에서는 엔진의 추력이 로켓을 발사시킬 수 있는 3,500톤까지 증가하는지를 살펴본다. 추력 체크가 끝나고 우주선을 발사대에 고정시키고 있는 클램프가 풀리며 우리의 아폴로 11호가 서서히 날아오르기 시작했다. 최종 목적지인 달을 향해서….

로켓이 발사되고 한동안은 우주선의 균형을 맞추기 위해서 로켓 엔진이 우주선을 순간적으로 뒤로 잡아당겼다 앞으로 세게 미는 듯한 과정을 반복한다. 자전거를 타고 출발하는 순간에 넘어지지 않기 위해 바퀴를 재빨리 회전시키는 원리와 마찬가지다. 그리고 자전거가 출발할 때 핸들이 좌우로 흔들리듯이 우주선에도 약간 비스듬한 방향으로의 흔들림이 있다. 그러나 일단 일정 수준의 속도에 도달하면 자전거든 로켓이든 훨씬 더 부드럽게 나아간다. 새턴 로켓의 점화 초반 얼마간은 상당한 굉음이 발생하고 진동도 크다. 그러한 굉음과 진동이 사라졌을 때 나는 일단 발사 단계가 아무 이상 없이 이루어졌다는 사실에 감사했다. 잠시 후 우주선이 대서양을 가로질러 빠져나갈 무렵 계기판의 모든 다이얼과 기기들이 정상 상태임을 확인했다. 나는 한 번 더 흡족함을 느꼈고 닐과 버즈 또한 상당히 만족스러운 표정이었다. 버즈가 컴퓨터를 이용해 확인한 바로도 우리는 극히 정상적인 경로로 항해 중이었다.

이륙 2분 30초 후에, 1단계 로켓이 분리되어 바다로 떨어졌고 5기의 엔진을 가진 2단계 로켓이 점화되었다. 자신의 임무를 충실히 완수한 2단계 로켓 역시 이륙 9분 후에 분리되었다. 이제 남은 로켓은 우리의 안전한 궤도 진입을 책임져야 하는 1기의 엔진을 가진 3단계 로켓뿐이다. 그리고 이륙 11분 42초 후에 우리는 드디어 지구 궤도에 성공적으로 진입했다. 속도는 시속 29000킬로미터, 고도는 160킬로미터였다. 첫 번째 난관을 무사히 통과하는 순간이었다. 이제 남은 관문은 단 열 개뿐이다!

우주선 창문 밖을 내다보았다. 제미니 10호 비행 후 3년이라는 시간 동안 나는 맑은 햇빛 아래로 어우러지는 구름과 바다가 얼마나 아름다운 광경인지를 잊고 지냈다. 우리는 머리를 지구로, 발은 하늘로 향한 채 비행하고 있었지만 무중력 상태이기 때문에 머리가 어디를 향하는지는 전혀 문제가 아니었고 불편하지도 않았다. 우리가 우주선을 그러한 각도로 유지시킨 것은 컬럼비아호의 동체에 달린 항해 장치가 별을 향할 수 있도록 하기 위해서였다. 비교적 안전한 지구 궤도를 벗어나기 전에 항해 장치가 정상적으로 작동하는지를 테스트할 필요가 있었다.

그중에는 육분의를 사용해 두 별 사이의 각을 측정하는 과정도 포함되어 있었는데 그것은 내가 맡은 임무였다. 육분의로 각을 측정하려는 순간 시뮬레이터 교관과 얼마 전에 했던 내기가 떠올랐다. 만일 내가 육분의를 정확히 읽는다면 컴퓨터는 오차가 없다는 뜻으로 00000이라는 메시지를 출력한다. 우리는 이것을 'five ball(5개의 0)'이라고 부른다. 나의 측정값에 오차가 있다면 컴퓨터는 0이 아닌 다른 숫자를 출력한다. 이번 비행에서 내가 처음 읽는 측정값의 결과에 대해 나는 00000에, 파커는 00002(2/100의 오차가 있음)에 커피 한 잔을 걸었다. 결과는 어땠을까? 나의 측정값을 컴퓨터에 입력하니 컴퓨터는 00001이라는 값을 출력했다. 무승부였다. 나는 휴스턴을 향해 말했다. "글렌 파커에게 운이 좋았다고 전해주기 바란다. 커피를 사지 않아도 된다고도 전해 달라." 관제센터 사람들은 내 말이 무슨 뜻인지 몰랐겠지만 어쨌든 그대로 전해주겠다고 대답했다.

발사 한 시간 후에 우리는 호주 상공을 지나가고 있었고 우주선의 모든 기기는 완벽하게 작동하고 있었다. 우리는 우주선의 성능을 검사하면서 지구 궤도를 한 바퀴 더 선회한 후에 달로 향할 계획이었다. 우리 세 명은 그 시간을 활용해 되도록 많은 기기를 점검했다. 이것은 몇 달 전 많은 전문가들과 회의를 거쳐 만들어진 아폴로 11호의 비행 계획의 한 과정이기도 했다.

우주선이 두 번째로 호주 상공을 날고 있을 때, 지상으로부터

"항로 진입을 준비하길 바란다"는 무선이 전해졌다. 지구의 중력대를 벗어나 달로 향하는 비행이 허락된 것이다. 그러기 위해서는 3단계 새턴 로켓을 두 번째이자 마지막으로 점화해 현재 시속 29000킬로미터인 우주선의 속도를 40000킬로미터까지 올려야 한다. 우주선의 기수를 달로 향하고 엔진을 점화시키는 순간 두 가지 상반된 감정이 밀려왔다. 달 착륙을 위한 또 하나의 중요한 단계에 무사히 다다랐다는 안도감과 이제 드디어 일을 '저질렀고' 되돌릴 수 없다는 불안감이었다. 그 생각에 순간적으로 머릿속이 하얗게 되는 것 같았다.

새턴의 3단계 엔진은 1, 2단계와는 그 특징이 달랐다. 1단계 엔진은 기수가 좌우로 흔들릴 정도로 강한 추력을 가지고 있고 2단계 엔진은 유리 위를 미끄러지듯 부드럽게 작동했다. 반면에 3단계 엔진은 좌우가 아닌 앞뒤로 아주 미세하게 진동하는 듯한 느낌을 전달한다. 그리고 몸이 의자에 밀착될 정도의 힘이 발생하기는 하지만 그리 크지 않아서 1G에 약간 못 미칠 정도다.

이 로켓의 점화 과정은 마법과 같다. 로켓 안에 저장된 화씨 영하 423도의 액체 수소와 영하 293도의 액체 산소를 단 몇 초 만에 4000도 이상의 불꽃으로 만들어낸다. 엔진이 점화되고 6분 정도 지났을 무렵 엔진이 자동으로 멈추었다. 컴퓨터 데이터에 따르면 우리는 3일 뒤에 달이 지나가겠지만 지금은 허공인 지점을 향해 날아가고 있었다.

닐이 지구를 향해 보고했다. "헤이 휴스턴! 우리는 현재 새턴 로켓 덕분에 멋진 여행을 하고 있다." 우리의 출발 장면을 보려고 케이프케네디에 운집했던 거의 100만 명의 사람들은 아직도 그 좁은 고속도로를 빠져나가지 못한 채 교통 체증에 시달리고 있을 텐데 우리는 벌써 두 번째 관문을 무사히 통과했다니 좀처럼 믿기 힘든 사실이었다.

이제 우리의 자리를 바꿀 시간이다. 내가 오른쪽에서 왼쪽으로 옮겨 앉았고 닐이 가운데에, 버즈는 오른쪽에 자리 잡았다. 다음은 사령선과 새턴 로켓 사이에 달려있는 달 착륙선인 이글호와 기수를 맞대고 합체하는 일명 위치 전환과 도킹 단계다. 그러기 위해서는 내가 컬럼비아호를 조종해 새턴 로켓으로부터 분리한 후에 한 바퀴를 선회해 돌아와 이글호와 합체해야 한다. 나에게는 컬럼비아호를 우주 공간에서 단독으로 조종할 수 있는 첫 기회였고 시뮬레이터 안에서 수백 회를 연습했기에 잘 해낼 자신이 있었다. 컬럼비아호를 분리해 회전시킨 나는 이글호에 접근했다.

거미 모양의 이글호는 새턴 로켓의 제일 꼭대기 구멍에 웅크린 자세로 앉아있었다. 두 우주선의 높이를 맞춘 나는 컬럼비아호의 도킹용 탐침을 이글호의 표적 부위에 일치시켰다. 약간의 충격이 있었지만 문제가 되지 않을 수준이었다. 그러고서 조종석을 빠져나와 도킹용 탐침을 제거한 후에 몇 개의 전선 케이블을 연결했다. 이제 이글호는 컬럼비아호로부터 전원을 공급받는다. 다음 단계는 이글호 뒤쪽에 붙어있는 새턴 로켓의 분리다. 자신의 임무를 마치고 우주 한

가운데에 버려진 그 가엾은 새턴 로켓은 지금도 태양 주위를 외로이 돌고 있을 것이다.

우리는 세 번째 장애물을 넘어섰지만 그날이 가기 전에 해야 할 일이 몇 가지 있었다. 그중 하나가 우주복을 벗어 가방에 담아 치워버리는 아주 신나는 일이었다. 이글호와의 합체 부위가 헐거워져 우주선 내의 산소가 빠져나가지만 않는다면 우주복을 벗는다고 해도 안전에는 문제가 없다. 우리는 그 점을 여러 번 확인한 후에 우주복을 벗었다. 우주선 내부가 한결 넓어졌다. 그다음은 우리의 위치를 확인할 시간이다. 몇 개의 별을 찾아 그들 사이의 각을 측정해 컴퓨터에 입력해 위치를 확인하고 그것을 관제센터의 정보와 비교했다. 이 과정을 비행 내내 주기적으로 반복했다.

또 하나 우리가 신경을 써야 하는 부분은 우주선 바깥쪽의 온도였다. 비행경로가 지구와 달 사이이기 때문에 우주선은 태양빛에 지속적으로 노출될 수밖에 없다. 앞에서도 설명했지만 우주선이 한 가지 비행 자세만 유지할 경우 태양빛을 접하는 면의 온도는 너무 올라가고 반대 면은 너무 내려갈 것이다. 온도가 너무 올라간다는 것은 연료 탱크의 온도가 위험 수준까지 상승한다는 것을 뜻한다. 거꾸로 온도가 너무 내려가면 난방 장치가 얼어버릴 수도 있다. 이 두 가지 경우를 모두 방지하기 위해서 우리는 마치 바비큐를 굽듯이 회전하며 태양빛이 우주선의 전체 표면을 골고루 비추도록 했다.

그 단계까지 모두 마친 후에야 우리는 느긋한 마음으로 멀어지는 지구와 가까워지는 달을 지켜볼 수 있었다. 달은 크기의 변화가 거의 없었지만 지구는 상당히 작아 보였다. 우주에서의 첫날이 지나갈 무렵에 바라본 지구의 크기는 작은 창문을 겨우 채울 정도였다. 지구는 아주 밝은색을 띠고 있었고 푸른색의 바다와 흰색의 구름이 확연히 눈에 띄었다. 녹빛이 나는 사막은 희미하게나마 보였지만 녹색의 정글 지역은 전혀 부각되지 않았다.

우리는 흔히 보름달이 아주 밝다고 생각하지만 지구에 비하면 상당히 어두운 편이다. 전문적인 용어를 사용하면, 달의 반사율은 0.07이다. 즉, 달은 표면을 비추는 빛의 7퍼센트만 반사를 하고 나머지 93퍼센트는 흡수한다. 지구의 반사율은 달의 4배다. 즉, 달에 비해 4배나 밝다. 그래서 우주에서 지구를 바라볼 때 바다와 태양과 관찰자의 위치가 알맞다면, 바다는 맑은 다이아몬드처럼 반짝거리며 밝게 빛난다.

시간이 흘러 우주에서의 첫날 밤이 되었다. 우리는 자기 전에 다시 우리의 위치를 확인하기 위해 육분의를 이용해 별 사이의 각도를 관찰했다. 여기서 한 가지 문제가 발생한다. 우주선은 계속해서 태양이 비치는 상태에서 비행하지만 태양의 반대쪽을 보면 그야말로 암흑의 세계로 아무것도 보이지 않는다. 분명히 별은 그 자리에 있지만 우리 눈에는 보이지 않는다.

이유는 이렇다. 사람의 동공은 빛이 닿으면 자동으로 수축되어 아주 밝은 물체만 볼 수 있게 된다. 우주선 내부에는 계속해서 태양빛이 넘쳐나기 때문에 우주인들의 동공은 수축된 상태다. 그 상태에서 태양 반대쪽의 어두운 곳을 바라보면 상대적으로 상당히 약한 빛인 별을 볼 수 없다. 그래서 별을 관찰하기 위해서는 태양 쪽의 창문을 가려 태양빛을 차단해서 동공이 다시 확대될 때까지 몇 분간 기다려야 한다. 그러면 어둠 속에서 서서히 별이 보이기 시작한다. 하지만 다시 태양빛을 직접 접하거나 반사된 빛을 접하게 되면 그 별은 시야에서 사라진다.

우주에서의 둘째 날은 내가 인생에서 맞은 가장 조용한 날의 시작이었다. 창문을 통해 보이는 지구가 점점 작아지는 것을 보고 있자니 약간의 불안감과 그보다는 훨씬 큰 (우주선이 정상적으로 운항 중이라는) 안도감이 들었다. 왜냐하면 지구의 크기 변화 말고는 우리가 움직이고 있다는 것을 확인할 방법이 없기 때문이다. 바깥을 보고 있으면 우주선은 움직이지 않고 가만히 있는 것 같았다. 닐과 버즈는 대부분의 시간을 이글호와 착륙 과정을 검토하며 보냈고 나는 컬럼비아호 내의 각종 기기들을 점검했다.

그 중간에 우리는 우주선의 엔진을 3초간 점화시켜 항로를 약간 조정했다. 항로가 예정과 달라진 이유는 인력 때문이었다. 달과 지구와 태양의 인력이 동시에 우주선을 당길 것이라는 예상은 이미 하고 있었다. 하지만 그 힘들이 움직이고 있는 우주선에 미치는 결과에 대해서는 예측이 불가능했기 때문에 조금씩 항로를 조정해 나갔다. 우주선의 속도는 지구를 출발한 이후로 조금씩 느려지고 있었다.

이러한 속도의 감소는 우주선이 달의 강한 중력에 이끌려 다시 속도가 증가할 때까지 계속될 것이다. 어쨌든 엔진을 3초간 점화시켜 항로를 수정한 우주선은 가상의 달로 뻗은 고속도로 한가운데를 달리고 있었다.

둘째 날의 한가함은 나에게 컬럼비아호 내부의 구석구석을 살펴볼 기회를 주었다. 그 결과 무중력 상태는 지상에서와는 전혀 다른 새로운 공간을 만들어낸다는 것을 발견했다. 예를 들어 천장의 구석은 지상에서는 쓸모없는 공간이지만 여기서는 그 위에 쪼그려 앉거나 혹은 자신만의 독특한 방법으로 활용할 수 있는 아늑한 휴식처가 된다. 모퉁이와 구석을 활용하는 방법은 무궁무진하다. 벨트나 기타 어떤 고정 장치를 쓰지 않고도 천장의 구석구석에 몸을 거꾸로 끼워 넣을 수도 있다. 무중력 공간에서는 몸을 끼워 넣거나 고정된 물체에 묶지 않으면 둥둥 떠다니며 다른 사람이나 장비와 부딪힌다. 하늘을 날듯 떠다니는 것이 처음에는 아주 재미있지만 어느 정도 지나면 이것만큼 사람을 귀찮게 하는 것도 없다. 그래서 움직이지 않고 가만히 쉴 수 있는 곳을 찾게 된다.

둘째 날의 한가함은 운동할 수 있는 여유까지 선사했다. 내가 선택한 공간은 운항 장치에 달린 넓은 받침이었다. 그 받침과 천장 사이에 몸을 집어넣고 두 손바닥은 머리 위로 올려 한쪽 벽에 기댔다. 다리로는 반대쪽 벽에 기대니 지상에서 하던 일명 '달리기'라는 것을 할 수 있었다.

우주인의 건강 상태를 체크하기 위한 센서는 비행이 끝날 때까지 계속 부착하고 있어야 한다. 그 센서를 통해 휴스턴의 관제센터에서는 나의 심박수를 포함한 여러 가지 정보를 알 수 있다. 나는 50회였던 심박수가 그 2배인 100회가 될 때까지 달리기를 했다. 물론 그 이상도 할 수 있었지만 목욕이나 샤워를 할 수 없기 때문에 그쯤에서 멈췄다.

둘째 날에는 TV 쇼도 예정되어 있었다. 우리는 20만 킬로미터 떨어져서 보는 지구가 얼마나 작고 연약한 모습인지를 준비해온 TV 카메라를 통해 전 세계 사람들에게 보여주었다. 그다음 날 뉴스에는 지구의 남극과 북극이 서로 바뀌었다는 뉴스가 나왔을 것이다. 창밖으로 보이는 지구를 향해 초점을 맞춘 카메라의 손잡이를 잡은 채 나는 관제센터에 이렇게 말했다. "전 세계에 계신 여러분, 머리 위의 모자를 꽉 붙잡으십시오. 곧 하늘과 땅이 뒤바뀔 겁니다!" 그러고는 손잡이를 돌려 TV 카메라를 180도 회전시켰다.

TV 쇼 촬영이 끝난 후 방송 장비를 정리하고 나니 어느덧 잘 시간이었다. 우리는 우주선 생활에 한결 적응하여 첫날보다는 편안한 마음으로 잠을 청했다. 오늘은 내가 왼쪽 침상에서 잘 차례다. 말이 침상이지 위쪽으로 헐거운 지퍼가 달렸고 공중에 떠 있는 그물침대에 불과했다. 하지만 어제는 물론이고 제미니 10호에서 지낸 며칠보다 훨씬 편안한 잠자리였다.

칠흑 같은 어둠 속에서 그물에 가볍게 몸을 맡긴 채 공중에 떠 있는 느낌은 뭐라고 말할 수 없을 만큼 묘하다. 본능적으로는 내가 등을 대고 누워있다고 느끼지만 사실은 등과 배로 동시에 누워있다고 하는 것이 정확한 표현이다. 더 정확히 말하면 누워있다는 것도 틀린 표현이다. 중력이 없는 우주 공간에서는 기준으로 삼을 수 있는 방향이 없기 때문에 눕거나 서 있다고 말할 수 없다. 다만 정확하게 말할 수 있는 것은 내가 머리부터 발끝까지를 곧게 펴고 있다는 것뿐이다. 내가 등으로 누워있다고 생각하는 이유는 아마도 눈앞에 우주선의 천장이 보였기 때문일 것이다.

무선 교신 중인 버즈의 소리를 듣고 '아침'이 되었다고 혹은 최소한 지구를 떠난 지 48시간이 지났다고 생각하며 잠에서 깬 것이 바로 후의 기억이다. 해가 계속 떠 있는 상태이기 때문에 아침과 저녁을 구분하는 것이 매우 어렵거니와 별 의미도 없다. 일어나 보니 태양은 여전히 그 자리에 있었고 지구는 어제보다 더 작아져서 이제는 손목시계 크기가 되어 있었다.

3일째는 더 한가하고 조용했지만 4일째는 그 느낌부터 달랐다. 지금부터 지구로 귀환하기 전까지는 아주 바빠질 것이고 미지의 세계를 직접 눈으로 확인하게 될 것이다. 통바비큐 같은 우주선의 회전이 멈춘 지 거의 하루 만에 우주선은 달을 육안으로 관찰할 수 있는 거리까지 접근했다.

달은 컬럼비아호의 가장 큰 창문을 꽉 채울 만큼 근접하면서 실로 극적인 변신을 보여주었다! 하늘에 떠 있는 조그맣고 편평한 노란색 원반이라는, 그때까지 내가 알고 있던 달의 모습은 어디론가 사라지고 그 자리에는 지금까지 본 중 가장 괴이한 구가 있었다. 또한 지구에서 볼 때와 달리 확실히 입체적인 모양이어서 볼록 솟아오른 중앙과 그보다 낮은 주변이 확연히 드러났다. 그 모습이 너무 생생하고 뚜렷해서 손을 뻗으면 닿을 만큼 가까이 있는 것처럼 느껴졌다. 또한 달 뒤편에 있는 태양 때문에 그 주위가 밝게 빛나면서 어두운 달 표면과 극명한 대조를 보였다.

태양이 뒤편에 있는데도 달 표면을 볼 수 있는 것은 지구를 거쳐 반사되어온 빛 덕분이다. 그 빛을 다시 반사시키는 거대한 크레이터의 푸르스름함과 그보다 어두운 (우리가 바다라고 부르는) 평평한 지역의 희미함은 등골을 오싹하게 했다. 달의 낯선 생김새를 보고 닐은 "그래도 한번 와볼 만하지 않아?"라며 긍정적인 결론을 내렸다.

달의 궤도에 들어서기 위해서는 우주선의 속도를 늦춰야 한다. 그렇지 않으면 달을 그냥 지나치거나 달 표면과 충돌하게 된다. 컬럼비아호가 달의 왼쪽을 돌아가 처음으로 지구가 보이지 않게 된 직후에 우주선의 로켓을 점화했다. 관제센터와 무선 교신이 되지 않았지만 컴퓨터가 엔진의 점화 시간과 방향을 알려주었기 때문에 문제 될 것이 없었다. 6분 정도 후에 컴퓨터는 우주선이 달 궤도에 진입했다고 알려주었다.

우주선은 그 얽은 달 표면의 100킬로미터 상공에서 궤도 운동을 하고 있었다. 우리가 드디어 해낸 것이다! 지구에서는 보이지 않는 달의 뒤쪽은 앞쪽보다 더 많은 운석 자국이 있어서 방금 격렬한 포격전을 마친 전쟁터를 방불케 했다. 평평한 곳이라고는 찾아보기 힘들 정도인 그곳에는 수십억 년간 계속된 운석과의 충돌 기록이 고스란히 새겨져 있었다. 지구와 달리 달에는 대기가 없어서 구름이나 안개 같은 기상 활동도 없기 때문에 우리의 시야를 방해하는 것은 어두움뿐이었다.

달 표면의 모습은 태양의 위치에 따라 극명하게 달라졌다. 태양이 바로 위에 있을 때는 선홍색을 띠고 크레이터 안쪽은 장밋빛을 발산한다. 태양이 달의 지평선으로 기울기 시작하면 크레이터는 긴 그림자를 드리우며 장밋빛에서 어두운 회색으로 변한다. 태양이 지고 나면 달 표면은 지구의 반사 빛을 받는 쪽은 희미하게나마 보이지만 그렇지 않은 쪽은 그 존재마저 의심될 정도로 전혀 보이지 않는다.

우리는 미리 선정해둔 착륙 지점을 쉽게 찾을 수 있었다. 달 표면 지도를 보면서 몇 달 동안 그 주위의 지형을 철저하게 외워두었기 때문이다. 하지만 지도로 보는 것과 직접 눈으로 확인하는 지형에는 큰 차이가 있었다. 내가 육안으로 확인한 그 지점의 지형은 굴곡이 너무 심해서 이글호가 착륙하기에는 사정이 좋지 않아 보였다. 만약 착륙을 강행한다면 저 거미 모양의 착륙선은 한쪽으로 기울어져 쓰러지는 불행을 맞게 될 것 같았다. 하지만 닐과 버즈에게는 아무 말도 하지 않았다. 태양빛의 각도 때문에 지형이 거칠어 보이는 것이라고 믿고 싶었다. 어차피 내일이면 그 결과를 알 수 있을 것이다.

그러는 사이에 넷째 날이 지나고 잘 시간이 되었다. 나는 그 전에 마쳐야 할 임무가 하나 있었다. 착륙 예정 지점인 고요의 바다 동쪽에 있는 거품의 바다(Mare Spumans) 안쪽의 크레이터에 대해 육분의를 사용해서 몇 가지 측정을 하는 일이었다. 닐과 버즈가 착륙할 지형의 고도에 대한 정보에 좀 더 정확성을 기하기 위해서였다. 나는 그 크레이터의 이름을 세 아이들과 아내의 이름(케이트, 앤, 마이클, 패트리샤) 첫 글자를 따서 캄프(KAMP)라고 지었다. 나의 가족들이 달 착륙 비행에 어떤 식으로든 관여하게 되었다는 건 기분 좋은 일이다.

달 착륙일인 5일째 역시 휴스턴으로부터의 모닝콜로 시작되었다. 이후의 모든 과정은 급박하게 진행되었다. 책의 서두에서 얘기했던 달나라에 사는 토끼와 여인에 관한 중국 전설을 들은 것은 아침식사를 하던 중이었다. 식사를 마친 우리는 신속하게 우주복으로 갈아입었다. 닐과 버즈는 특수 제작된 속옷을 추가로 착용했다. 그 속옷은 얇은 플라스틱 튜브로 짜여 있고 백팩과 연결된 펌프가 그 튜브로 냉각수를 순환시킨다. 물론 우주복 내부로도 냉각수가 흐른다. 낮에는 섭씨 100도를 훌쩍 넘는 달 표면에서 활동하려면 냉각수는 필수다. 나는 착륙을 하지 않기 때문에 발목까지 오는 일명 긴 바지(long jeans)라는 평범한 속옷을 입었다. 발사 때 입었다가 정리해둔 우주복을 다시 꺼내니 우주선 안이 꽉 찼다. 우주선 안에 세 명이 아닌 여섯 명의 우주인이 있는 듯했다.

우리는 한 시간 정도 악전고투한 끝에 그 세 명의 손님 속으로 들어갈 수 있었고 헬멧과 장갑도 착용했다. 그런 다음 닐과 버즈는 이글호로 건너갔다. 나는 이글호와 연결되는 해치를 닫은 후 계기판의 스위치 하나를 올렸다. 이글호와 컬럼비아호를 분리하는 스위치였다.

닐은 분리된 이글호를 15미터 정도 뒤로 이동시킨 뒤 내가 보는 앞에서 360도 회전시켰다. 혹시나 있을지 모르는 이글호의 외부 손상을 내가 점검하도록 하는 것이다. 특히 네 개의 착륙 기어가 끝까지 펴졌는지를 유심히 살펴보았다. 별다른 이상을 발견하지는 못했지만 그 생김새가 지구의 어떤 비행 물체와도 비교할 수 없을 정도로 특이하다는 것을 다시 한번 느꼈다. 금색, 검은색, 회색이 어우러진 그 물체는 영락없이 공중에 매달려있는 거미의 모습이었다.

하지만 버즈는 이글호에 타고 있다는 것이 무척이나 기쁜 모양이었다. 그는 “독수리에 날개가 달려있는 건 당연하지!”라고 큰 소리로 말했지만 내가 볼 때는 날개라고 부를 만한 것도 없었고 독수리를 닮지도 않았다. 비행 물체의 거의 대부분이 유선형인 것은 대기와의 마찰을 좀 더 효과적으로 극복하기 위해서다. 하지만 달 착륙선은 우주 공간에서만 비행하기 때문에 유선형일 필요가 없다. 그 결과 이렇듯 괴이한 형체를 이루게 되었다.

닐과 버즈가 달 표면을 향해 하강하기 시작했다. 나는 그들이 보이지 않을 때까지 눈을 떼지 않았다. 예상치 못한 문제가 생겨 그들이 다시 돌아와야 할 경우 그들의 위치를 알고 있어야 하기 때문이다. 컬럼비아호의 앞쪽에서 하강하는 이글호는 점점 더 작아졌고 나와의 거리가 160킬로미터 정도 되었을 때 드디어 육분의의 시야에서 사라졌다. 크레이터의 한가운데였다.

이제 나의 가장 중요한 임무는 컬럼비아호를 정상적인 상태로 유지시키는 것이다. 그리고 되도록 무선 교신을 피해야 한다. 무사히 착륙하기 위해서는 착륙선과 휴스턴 사이에 많은 대화가 필요할 것이기 때문이다. 아니나 다를까 잠시 후에 컴퓨터 작동에 이상이 생겼다는 닐의 목소리가 들려왔다. 휴스턴에서는 그대로 착륙을 시도하라고 바로 응답했다. (당시 달 착륙선의 과부하 문제가 있었음에도 나사는 착륙을 강행해 이후 논란이 되었다. 달 착륙 후 복귀 대책도 미흡해 당시 닉슨 대통령은 "그들은 구조 가능성이 없다는 것을 알면서도 자신들의 희생에 인류의 희망이 있다는 점을 알고 있었다"는 애도문을 미리 준비하기도 했다.) 버즈는 쉴 새 없이 숫자를 불러주고 있었다. 닐이 창밖으로 지면을 살피며 착륙선 조종에 온 정신을 집중할 수 있도록 하기 위해서였다.

그중 가장 중요한 것은 고도(피트)와 하강 속도(피트/초)였다. "고도 600피트, 속도는 19피트, 고도는 400피트, 속도는 9피트, 고도는 300피트… 착륙선 그림자가 보이기 시작한다." 버즈는 연료가 5퍼센트밖에 남지 않았다고 보고했다. 극히 위험한 상황이었다. "고도는 40피트, 속도는 2.5, 먼지가 많이 일어나고 있다!" 적어도 지금 먼지는 문제가 될 수 없었다. 그때 휴스턴으로부터 "30초!"라는 다급한 목소리가 들려왔다. 착륙에 사용할 수 있는 연료가 30초 분량밖에 남지 않았다는 뜻이다. 닐! 어서 어서!! 나와 닐, 버즈 그리고 지구에서 우리를 지켜보는 휴스턴의 모든 대원들이 가장 긴장한 순간이었다. 그때 버즈가 소리쳤다. “접촉등 켜짐!” 착륙에 성공하는 순간이었다.

이글호의 착륙 기어에는 전선 하나가 연결되어 있다. 그 전선은 표면에 닿으면 계기판의 불이 켜져 착륙선이 지면에 닿았음을 승무원에게 알려주도록 설계되어 있다. 버즈는 이어서 말했다. “휴스턴, 여기는 고요의 바다, 이글호 착륙 완료.” 휴! 나는 긴 안도의 한숨을 내쉬었다. 닐은 연료를 거의 다 소진할 수밖에 없었던 이유를 설명하기 시작했다.

컴퓨터로 조종되는 이글호가 착륙할 지점이 커다란 자갈로 덮여있음을 발견한 닐은 착륙이 가능한 평평한 지점을 찾아야 했다. 물론 그때까지 착륙선은 계속 비행을 하면서 연료를 소모했다. 컴퓨터가 아무리 정교하다고 해도 최적의 착륙 지점을 찾는 데에는 사람의 눈만 못했던 것이다.

착륙에는 성공했지만 한 가지 문제가 있었다. 이글호가 착륙한 지점이 어디인지를 휴스턴은 물론이고 닐과 버즈조차 모른다는 것이었다. 나는 궤도 비행을 계속하면서 육분의를 이용해 그 지점을 찾으려고 노력했지만 매번 허사가 되고 말았다. 착륙 지점이 어디인지를 대강은 알고 있었지만 육분의의 시야가 매우 좁았기 때문이다. 착륙 지점을 정확히 측정하기 위해서는 뭔가 다른 방법이 필요했다.

닐과 버즈의 위치를 정확히 알지 못한다는 것 이외에 별다른 문제는 없었다. 컬럼비아호의 조명을 켜고 보니 조종석이 상당히 아늑한 장소로 바뀌어 있었다. 그보다 더 큰 변화는 물론 우주선에 나 혼자 남겨졌다는 것이다. 하지만 외로움이나 소외감을 느끼지는 않았다. 나는 매우 중요한 임무를 수행 중이며 내가 없다면 닐과 버즈가 무사히 지구로 귀환하는 것은 절대로 불가능하다는 사실을 알기 때문이다. 나에게는 닐과 버즈의 귀환을 기다리며 달 궤도를 비행 중이라는 자부심이 있었다. 자부심은 외로움뿐만이 아니라 그 어떤 것도 이겨낼 수 있을 만큼 강했다. 세상에서 가장 높은 달이라는 산에 도전하는 두 명의 등반가는 컬럼비아라는 베이스캠프가 있기에 안심하고 등정을 할 수 있는 것이다.

내가 외로움을 느끼지 않는 이유는 하나 더 있었다. 지난 20여 년간의 단독 비행 경험이었다. 하지만 지구에서는 보이지 않는 달의 뒷면을 비행하는 순간만큼은 지금까지의 모든 비행과 사뭇 다르다는 것을 인정할 수밖에 없었다. 그 순간만큼은 이 세상 모든 것과 차단된, 말 그대로 고독한 시간이다.

모든 교신이 끊어진 그 순간, 나는 온전히 혼자였고 자신이 태어난 행성을 볼 수 없는 유일한 사람이었다. 하지만 두렵지 않았다. 오히려 자신감과 만족감이 차올라 기분이 좋아졌다. 창문으로 별이 보였다. 그 외엔 아무것도 보이지 않았다. 달이 어디에 있는지 나는 알고 있었지만 칠흑 같은 어둠 속에서 달 표면을 눈으로 분간해내긴 어려웠다. 복잡하게 생각할 필요 없이, 우주선 창문을 통해 볼 때 별 없이 캄캄한 부분이 바로 달이 있는 곳이었다. 그 순간만큼은 우주선을 타고 비행한다기보다 작은 배에 몸을 싣고 밤바다에 홀로 떠 있는 느낌이었다. 하늘엔 별이, 아래엔 까만 어둠이 펼쳐진 그곳에.

달의 반대편을 빠져나오는 순간 태양빛이 갑자기 우주선을 가득 채워 눈이 부셨다. 동시에 별들은 사라지고 달이 다시 보이기 시작한다. 지구가 다시 보이는 시각은 미리 계산되어 있고 그 시각이 되면 지구는 어김없이 나타난다. 달의 지평선 위로 모습을 나타내는 지구는 마치 황량한 사막에서 솟아오르는 파란색과 백색이 뒤섞인 보석을 연상시킨다. 지구가 보이면 다시 휴스턴과 교신할 수 있어서 닐과 버즈가 임무를 잘 수행하고 있는지 알 수 있다.

그들은 예정된 네 시간의 낮잠을 생략한 채 곧바로 달 표면 탐사에 나서기로 결정했다. 먼저 사다리를 타고 내린 닐 암스트롱은 지구 밖에서 어딘가에 처음으로 발을 디딘 최초의 인간이 되었다. 닐은 지형이 평탄하고 지반이 단단해서 달 표면을 걷는 데는 아무런 문제가 없다고 했다. 모든 것의 무게가 지구의 6분의 1로 감소하는 그 색다른 중력의 공간에서 닐은 균형을 잘 잡고 있었다. 휴스턴에서 통신을 중계해주었기 때문에 휴스턴과 착륙 팀 간의 교신 내용을 모두 들을 수 있었다.

이번 비행에서는 통신 또한 일반적이지 않다. 무선 교신은 빛의 속도로 왕복하지만 워낙 거리가 멀어서 빛이 이글호에서 지구를 거쳐 다시 나에게 전달되는 데는 2.5초가 걸린다. 즉, 이글호에서 나에게 어떤 내용을 전달하면 나의 응답을 듣기까지 최소한 5초는 기다려야 한다. 물론 컬럼비아호가 착륙 지점 바로 위를 비행하고 있을 때는 직접 교신이 가능했지만 그 이외의 지역에서는 휴스턴의 중계를 거쳐야 했다. 하지만 지구조차 보이지 않는 달의 뒷면에서는 그 어떤 대화 상대도 없었다.

닐과 버즈가 달 표면 탐사를 시작하고 조금 지났을 무렵 우리 셋이 기절초풍할 일이 일어났다. 닉슨 대통령의 목소리가 무선으로 들려온 것이다! "닐과 버즈, 저는 지금 백악관 대통령 집무실에서 전화로 이야기하고 있습니다. 저는 이것이 인류 역사상 가장 중요하고 위대한 통화라고 확신합니다. 여러분의 노력으로 이제 인류는 하늘까지 그 영역을 확장하게 되었습니다. 고요의 바다로부터 들려오는 여러분의 목소리를 들으면서 우리는 지구에 더 많은 평화와 고요를 가져오기 위한 노력을 절대로 멈춰선 안 된다고 다시 한번 다짐합니다."

닐은 미국과 전 세계의 평화를 사랑하는 모든 인류를 대표해서 자신이 달에 첫발을 내디딘 것을 무한한 영광과 행운으로 생각한다고 화답했다. 국가를 대표한다는 닐의 말, 그리고 그들이 달 표면에 꽂은 성조기에 나는 큰 자부심을 느꼈다. 이제 바라는 건 그들이 서둘러 월석을 수집해서 컬럼비아호로 돌아오는 것뿐이었다. 목소리로 듣건대 그들은 전혀 문제가 없고, 피곤하지도 않은 듯했다. 하지만 나는 그들이 이글호로 다시 돌아와 우주선의 문을 닫았는데도 마음을 놓을 수 없었다. 이글호가 다시 달의 궤도로 진입해 컬럼비아호와 도킹을 해야 안심이 될 것 같았다. 이글호가 이륙하기 전에 몇 시간의 취침이 예정되어 있었다. 랑데부 과정을 성공적으로 완수하기 위해서는 맑은 정신을 유지해야 하기 때문이다.

이글호의 좁은 바닥에서 구부정한 자세로 잠을 청해야 하는 닐과 버즈는 제대로 자지 못했겠지만 나는 아주 편안한 자세로 잠을 청했다. 일단은 우주선의 모든 창문을 가려 빛을 차단했다. 내가 자고 있는 동안에도 휴스턴의 많은 전문가들이 컬럼비아호의 기기들을 잘 살펴볼 것이다. 물론 지구가 보이지 않는 달의 뒤쪽에서 무엇인가가 잘못되었을 때는 누구의 도움도 받을 수 없다. 하지만 그렇지 않은 경우라면 우주선으로부터 전자 신호를 전달받는 휴스턴에서는 모든 장치가 순조롭게 작동하고 있는지 여부를 계속 확인할 수 있다. 만일 이상이 발견된다면 무선 통신을 이용해서 곧바로 나를 깨울 것이다. 그래서 나는 아무 걱정 없이 편안한 마음으로 단잠을 잘 수 있었다.

"컬럼비아, 컬럼비아 나와라. 여기는 휴스턴, 좋은 아침이다."

일어날 시간이 되었음을 알리는 목소리였다. 그는 무척 바쁜 하루가 될 것임을 다시 한번 상기시켰다. 그리고 랑데부를 위해서 준비해야 하는 수많은 목록을 하나하나 부르기 시작했다.

하루 동안에 내가 수행해야 하는 임무는 약 850회에 걸쳐 컴퓨터 버튼을 조작해야 하는 어마어마한 양이었다. 하지만 이글호와의 랑데부가 순조롭게 진행된다면 별로 걱정할 것이 없었다. 시뮬레이터를 이용한 수많은 연습을 통해 전 과정을 거의 완벽하게 암기하고 몸에 익히고 있었기 때문이다. 문제는 이글호가 기울어지거나 한쪽으로 치우친 궤도로 진입을 해서 정상적인 랑데부가 불가능한 상황이다. 그렇게 해서 내가 그들을 '구출'해야 하는 상황이라면 문제가 극도로 복잡해지는 것은 물론이고 급히 서둘러야 한다. 내 목 주위에는 책 한 권이 클립으로 고정되어 있었다. 그 책에는 18가지 랑데부 과정이 기록되어 있었다.

이글호의 발사 시간이 다가옴에 따라 나는 극도로 예민해졌다. 그 이전과 이후를 통틀어 비행 중에 그렇게 신경이 곤두섰던 때는 없었다. 만일 이글호의 엔진이 작동하지 않는다면 내가 그들을 구출할 수 있는 방법은 없다. 그 상황에서 나의 최선의 선택이자 유일한 선택은 닐과 버즈를 버려둔 채 혼자 지구로 귀환하는 것이다. 이런 끔찍한 상상을 하고 있을 때 버즈의 카운트다운하는 소리가 들려왔다.
"9, 8, 7, 6, 5… 좋았어!"

이글호는 이륙에 성공했다. 그리고 7분 후에 컬럼비아호보다 뒤쪽에서 낮은 궤도로 진입하는 데에 성공했다. 이후 세 시간에 걸쳐서 우리는 간격을 조금씩 좁혀나갔다.

이글호가 달 표면을 떠난 이후 처음으로 컬럼비아호가 고요의 바다 상공을 지나칠 때 내가 그들에게 말했다. "이글호, 컬럼비아호는 현재 고요의 바다 상공을 비행하고 있다. 저 밑에 나의 동료들이 남아있지 않다는 것을 무척 기쁘게 생각한다." 그들이 달 표면에서 활동하고 다시 이륙하는 것을 눈으로 보지는 못했지만, 달의 궤도에 올라와 있다는 것을 아는 것만으로도 큰 위안이 되었다. 잠시 후에 이글호는 내가 육분의로 확인할 수 있을 만큼 근접했다.

내가 밝은 곳에서 이글호를 본 것은 그때가 처음이었다. 깜박거리는 점으로 보이던 이글호가 점점 커지면서 도킹에 성공할 수 있다는 확신이 생겼다. 컴퓨터에 의하면 현재 이글호의 궤도는 정확히 컬럼비아호와 같은 선상에 있었다. 마침내 이글호와 컬럼비아호는 나란히 비행하게 되었다. 이글호는 착륙 이전보다 훨씬 더 보기 좋은 모습을 하고 있었다. 착륙선 하단부인 착륙 기어가 사라졌기 때문이다. 착륙 기어는 발사대로 사용되었고 달 표면에 그대로 두고 왔다.

아폴로 11호의 성공을 예감한 것은 그 순간이었다. 이제 이글호와 도킹해 닐과 버즈를 컬럼비아호로 옮겨 태운 후 집으로 돌아가는 일만 남았다! 접근하면서 약간의 충돌로 이글호가 살짝 기울어지면서 잠시 위기를 겪기는 했지만 도킹은 성공적이었다. 해치를 통해 컬럼비아호로 복귀하는 닐과 버즈의 얼굴에는 만족감이 역력했다. 마음 같아서는 키스라도 퍼부어주고 싶었지만 가벼운 포옹과 악수로 대신했다. 한동안 우리는 월석으로 가득 차 있는 은색 상자들을 황홀한 듯 바라보며 우리의 성공을 다시 한번 확인했다.

내가 그 둘에게 처음으로 물은 것은 달에서의 이륙 순간에 어떤 느낌이 들었는지("한 차례 폭발이 있더니 … 별 느낌은 없고 창문 밖을 보고서야 우리가 성공한 걸 알았지."), 월석도 지구의 암석과 똑같이 생겼는지("완전히 다르게 생겼어.") 등이었다. 달과 작별하기에 앞서 우리는 이글호를 분리했다. 우리 임무에 더 이상 필요하지 않고 우주선의 무게를 줄이기 위해서였다. 이제 컬럼비아호의 커다란 엔진을 몇 분간 점화시키면 집으로 돌아갈 수 있다. 지구에서 달을 향할 때와 마찬가지로 우주선이 향할 방향에 각별한 주의를 기울여야 한다. 혹시라도 반대 방향을 향한다면 우주선은 그대로 달과 충돌하게 된다.

앞으로 3일 후에 지구가 지나갈 가상의 과녁을 향해 컬럼비아호를 발사시켰다. 휴스턴으로부터 우리가 올바른 방향으로 비행 중이라는 기쁜 소식이 날아왔다. 또 하나의 난관을 극복한 것이다! 우리는 남아있는 필름을 다 사용하기 위해 달을 향해 쉴 새 없이 셔터를 눌러댔다. 달에 머무는 동안 찍은 사진을 모두 합하면 1000장 가까이 될 것이다. 우리가 달에서 출발할 때는 달의 오른쪽을 선회하던 중이었다. 태양빛을 받아 반짝이는 달 표면은 그 위의 검은색 하늘과 회색의 경계를 두고 선명하게 이글거리고 있었다. 아름다운 광경이지만 지구에 비하면 아무것도 아니었다.

지구로의 귀환 과정은 아주 평온했고 특별한 사건도 없었다. 내가 했던 일이라곤 식수에 염소를 타는 것 같은 판에 박힌 '집안일' 정도였다. 그러고도 남는 시간에는 조금씩 작아지는 달과 내가 태어난 아름다운 지구가 조금씩 커지는 것을 보면서 보냈다. 얼마나 한가했는지 카세트테이프에 담아온 음악을 여유롭게 들을 수 있을 정도였다. 그중에는 내가 좋아하는 곡인 '모두가 달로 가버렸지(Everyone's Gone to the Moon)'도 있었다. 테이프에는 음악 말고도 갖가지 소음이 녹음되어 있었다. 종소리, 기차의 기적 소리, 사람의 비명 소리, 기타 알 수 없는 여러 가지 소음이 담겨있었다. 우리는 장난기가 발동해 그 부분을 휴스턴에 들려주었다. 그랬더니 아주 난리가 났다. 우주 공간에서 기차의 기적 소리가 들려온다는 것이 있을 법한 얘긴가! 우리는 시치미를 떼고서 웃음을 참느라 혼났다.

우리는 또 몇몇 TV 프로그램에 출연하기도 했다. 우리는 사람들에게 우주에서 바라본 지구는 어떤 모습인지, 컬럼비아호의 무중력 공간에서 보내는 생활은 어떤지를 알려주고 싶었다. 예를 들어 어느 TV 프로그램에서 나는 스푼으로 조심스레 물을 떠올렸다. "지금 물을 너무 많이 퍼서 물이 옆으로 새지 않을까 걱정이 되기도 합니다. 자, 제가 마술을 보여드리죠. 이 스푼을 뒤집어서 물을 순식간에 사라지게 하겠습니다. 자, 갑니다!" 그리고 나는 천천히 스푼을 뒤집었다. 물론 무중력에서 물은 흐트러지지 않는다. 물은 스푼에 달라붙은 채 그대로 있었고 나는 입을 갖다 대 마셔버렸다. 그렇게 해서 물을 사라지게 하겠다는 약속을 지켰다! TV 프로그램에서 무중력 상태에 대해 보여준 실험에는 물총을 이용한 묘기도 있다. 물총을 입을 향해 쏘는 것이다. 몇 번 시도했지만 모두 실패해서 작은 물방울들이 떠 있는 모습만 시청자들에게 보여줄 수 있었다.

이제 우리에게 남은 마지막 관문은 바다에 안전하게 착륙하는 것이다. 우리는 남태평양 한가운데에 착륙할 예정이었다. 그곳에는 항공모함 호넷호가 우리를 기다리고 있을 것이다. 항공모함 내에서는 닉슨 대통령이 환영인사를 할 예정이었다. 지구와 가까워지면서 우주선의 속도는 시속 40만 킬로미터까지 증가했다. 우주선을 잡아당기는 지구의 인력 때문이다. 우리는 이 속도로 지구 대기에 진입해야 한다. 진입 각도는 6도로 예정되어 있다. 대기권 진입에 앞서서 우리는 대기권을 빠져나올 때와 마찬가지로 다시 한번 모든 사항을 주의 깊게 점검했다. 기회는 단 한 번뿐이기 때문이다. 왼쪽의 내가 우주선을 조종하고, 가운데에 있는 닐은 컴퓨터를 조작하고, 버즈는 오른쪽에서 우리 둘에게 여러 가지 체크 리스트를 계속 읽어주었다. 뒤쪽의 열 보호막을 지구로 향한 채 우리는 등을 지고 누웠다. 창밖으로 캄캄한 우주 공간이 보였다.

우주선이 얇은 상층 대기권에 진입하면서 창밖의 하늘은 검은색에서 화염에 휩싸인 터널 모양으로 바뀌었다. 가운데는 오렌지색과 노란색의 불꽃이었고 바깥쪽은 파란색과 녹색과 자주색이 섞여 있었다. 누군가 멀리서 우주선을 보았다면 꼬리가 긴 혜성의 모습을 연상했을 것이다. 눈앞에서 펼쳐지는 색의 변화는 장관이었지만 마냥 즐길 수만은 없는 무서운 분위기를 연출하기도 했다. 마침내 터널이 점점 넓어지면서 한가운데의 불빛은 눈이 부실 정도로 밝아졌다. 마치 수백만 와트의 거대한 백열등 한가운데에 있는 듯했다. 동이 트기 전인 태평양의 어두운 하늘 위에서 거대한 불꽃을 뿜는 우리 우주선의 모습은 수백 킬로미터 떨어진 곳에서도 보였다고 한다.

검은 하늘이 밝게 바뀌면서 무중력 상태도 조금씩 사라졌다. 천천히 우리 몸이 조종석 쪽으로 밀리기 시작하더니 그 강도가 점차 세졌다. 무중력 상태에서 8일을 보낸 우리 몸은 갑작스러운 중력에 전혀 적응하지 못했다. 수십 년 동안 적응해왔던 1G의 중력도 상당히 버겁게 느껴졌다. 중력이 6.5G로 최고치에 달하자 거대한 손이 가슴을 짓누르는 듯했지만 오래가지는 않았다.

우리는 지난 8일간 수천 번이 넘게 스위치를 조작했는데 아직 할 일이 남아있었다. 그것은 또한 아폴로 11호의 마지막 임무이기도 했다. 우선은 보조 낙하산을 펴 우주선의 하강 속도를 늦춰야 한다. 그렇게 해서 하강 경로가 안정되면 세 개의 커다란 주 낙하산을 펼쳐야 한다. 보조 낙하산을 펼쳤을 때는 약간 흔들리던 우주선이 각각의 지름이 약 25미터인 주 낙하산을 펴자 좌우 흔들림이 전혀 없이 조용히 내려앉기 시작했다. 아래에서는 고요한 바다가 우리를 환영하고 있었다. 닐과 버즈가 착륙했던 '고요의 바다'가 아닌 말 그대로 '고요한 바다'였다.

사실 닐과 내기를 했었다. 나는 컬럼비아호가 바다에 착지했을 때 뒤집히지 않을 거라고 예상했다. 닐은 뒤집힐 거라고 했다. 그전까지 아폴로 사령선 중에는 바다에 착지할 때 뒤집힌 것도 있고 그렇지 않은 것도 있었다. 이 부분은 많은 요인에 좌우되지만 가장 중요한 항목은 낙하산을 우주선에서 분리하는 시점이다. 낙하산에 연결된 채 바다에 낙하하면 강한 바람이 낙하산을 끌고 가 우주선도 따라서 뒤집힐 확률이 높다. 그래서 우주선이 바다에 닿기 직전에 낙하산을 분리해야 한다. 낙하산을 느슨하게 하고 분리하는 과정은 버즈와 내가 맡았다. 낙하산을 분리하는 스위치에 손을 얹고 분리할 순간을 기다리는데 첨벙! 하고 우주선이 바다에 빠졌다. 그때라도 바로 낙하산을 분리하면 우주선이 쓰러지지 않겠지만 버즈가 스위치로 손을 가져가는 순간 우주선이 옆으로 쓰러졌다. 내기는 그렇게 닐의 승리로 끝났다.

우주선 안에서 뒤집힌 채 누워있었지만 지구로 돌아왔다는 것만으로도 기뻤다. 우주선이 뒤집힌 것이 무슨 대수이겠는가. 선수의 고무공에 공기를 넣어 부풀리면 우주선은 서서히 정상적인 위치로 돌아온다. 그러기까지 몇 분간 뒤집힌 우주선 안에서 파란 바닷물로 가득 찬 창문을 바라보는 것은 잠수함에 탑승한 듯한 색다른 경험이었다. 우주선이 똑바로 서자 헬리콥터에서 내려온 잠수부들이 우주선을 에워싸고서 바닥에 고무 뗏목을 설치했다. 해치를 열자 그중 한 명이 우리 몸을 외부와 차단해줄 고무복 세 벌을 던져주었다. 우리가 달에서 병균을 옮겨왔을 가능성에 대비하기 위해서였다. 고무복을 입고 우주선 밖으로 나온 우리는 뗏목 위에 서서 한 명씩 소독을 받았다. 그리고 기다란 인명구조용 와이어 끝에 달린 바구니 모양의 탈것에 올라 한 명씩 헬리콥터에 탑승했다.

헬리콥터 안에서 나는 조금씩 걸어보았다. 중력에 채 적응이 되지 않아 몸이 상당히 무겁게 느껴졌고 특히 다리를 들어 올리기가 힘들었다. 약간 피곤하고 몽롱한 느낌도 들었다. 하지만 제미니 비행에서의 경험이나 다른 우주인들의 경험대로라면 이런 증상은 한 시간 정도면 사라진다. 진짜 문제는 심장, 혈관, 동맥이었다. 무중력 상태에서는 위아래가 없기 때문에 우주인의 심장은 피를 '위쪽으로' 끌어올려야 한다는 것을 잊게 된다. 그 때문에 막 지구로 귀환했을 때 혈액이 하체에 과하게 쏠려있었다. 피로감과 몽롱한 기분도 머리로 전달되어야 할 피가 부족했던 탓이다. 어느덧 헬리콥터는 항공모함에 도착했다. 이제 고무복을 벗어도 된다는 것이 너무나 기뻤다. 그 안은 그야말로 찜통더위기 때문이다.

헬리콥터는 엘리베이터가 설치된 호넷호의 갑판 위에 내려앉았다. 갑판이 내려가고 밖으로 나왔을 때 내 얼굴은 땀으로 범벅이 되었고 바이저마저 습기로 희미해져 있어서 거의 아무것도 보이지 않았다. 다만 많은 해군 병사들이 주위에 도열해있는 것을 느낄 수 있었고 군악대의 연주 소리가 들렸다. 앞으로 한동안 우리의 거처가 될 이동식 격리시설의 출입구를 거의 더듬다시피 해서 찾아 들어갔다. 일단 그 안에 들어가 외부와 차단된 상태에서는 뭐든지 마음대로 할 수 있었다.

우리는 서둘러 우주복을 벗고 8일 만에 샤워를 했다. 몸을 깨끗이 씻는 것은 기분 전환을 위한 좋은 방법이다. 기분이 한결 상쾌해진 나는 격리시설 내부를 둘러보았다. 우리를 위해 개조된 내부는 병균의 외부 전염을 막기 위해 창문과 출입문이 봉합되어 있다는 것을 빼고는 여느 기숙사와 크게 다르지 않았다. 우리를 실은 항공모함은 전속력으로 하와이를 향했다. 그곳에서 우리는 격리시설 안에 있는 채로 수송기로 옮겨져 휴스턴으로 돌아가게 된다. 그동안 휴식 이외에는 별다른 일정이 없었다. 그 중간에 격리시설 밖에서 환영사를 하는 닉슨 대통령과 호넷호 함장의 모습을 창문을 통해 볼 수 있었다.

큼직한 스테이크로 식사를 마친 우리는 아주 편안하게 잠을 잘 수 있었다. 지난 일주일을 공중에 떠 있는 상태로 잤기 때문에 침대에 등을 대고 잔다는 것이 어색하기까지 했다. 그렇게 보면 평생 한 번도 무중력을 경험해보지 못한다는 것은 어떤 면에서는 불행이라고도 할 수 있다. 아무리 재미있다고 설명한들 직접 체험해보는 것만하지는 않을 것이다.

우리가 들어가 있는 격리시설은 하와이의 진주만에서 커다란 크레인으로 트럭에 옮겨져 비행장으로 향했다. 사람들이 길 양옆에 서서 우리를 향해 소리를 지르고 손을 흔들었다. 열두 살쯤 되어 보이는 남자아이가 우리 트럭을 쫓아 뛰기 시작하더니 꽤 긴 거리를 따라왔다. 그 아이가 어떻게 집에 돌아갈지, 돌아가서 부모님한테 혼나지는 않을지 걱정했던 기억이 난다. 그 정도의 달리기 실력이라면 나중에 커서 훌륭한 육상 선수가 되었을지도 모르겠다.

휴스턴까지의 비행은 무료하고 지루했다. 도착하자마자 우리는 동료들과 가족을 만나 즐거운 시간을 보냈다. 물론 그들은 격리시설 안으로 들어올 수 없었고 우리도 밖으로 나갈 수 없었기 때문에 기껏해야 창문을 통해서 서로 손을 흔드는 정도였다. 곧이어 그곳에서 몇 킬로미터 떨어져 있는 우리의 최종 목적지인 나사의 연구소에 도착했다. 그곳에는 일명 '달 시료 연구소(Lunar Receiving Laboratory)'라는 큰 건물이 있었는데 우리는 그 건물 깊숙한 안쪽으로 옮겨졌다. 물론 격리시설과 함께였다.

그 연구소는 우리 셋과 우리가 가져온 월석에 있을지 모를 병원균에 대해서 여러 가지 가능성을 테스트하는 곳이었다. 앞으로 2주간 우리는 이곳에 머물며 여러 가지 검진을 받게 된다. 만일 어떤 이상이 발견된다면 그 기간은 2주보다 훨씬 길어질 것이며 언제 여기를 벗어나게 될지는 아무도 모를 일이었다. 어쩌면 여생을 그곳에서 지내야 하는 끔찍한 일이 생길 수도 있다.

신체검사와 월석에 대한 현미경 검사 말고도 테스트 방법이 한 가지 더 있었다. 그 연구소에는 병균 검사에 사용하는 흰쥐들이 있었다. 그 쥐들은 연구소에서 태어나 어떤 병균과도 접촉하지 않은 상태다. 그 쥐들을 월석에 노출하는 것이다. 무균 상태의 쥐들이 계속 건강하게 활동한다면 월석에 어떤 해로운 병균도 없다는 것이 간접적으로 증명되는 셈이다. 우리의 신체검사 결과에서는 아무런 이상이 발견되지 않았다. 월석 검사에서도 특별한 점이 발견되지 않았고 흰쥐들 또한 별 탈 없이 잘 지냈다.

드디어 우리는 그 좁은 공간을 빠져나와 넓은 세상에서 동료와 친구들을 만나볼 수 있게 되었다. 1969년 7월 16일에 지구를 출발해 그달 20일에 인류 최초로 달 착륙에 성공한 아폴로 11호의 비행이 실질적으로 완료되는 순간이었다. 그날은 1969년 8월 10일이었고 날씨는 여전히 무더웠다.

우주에 작은 마을이
생긴다면

아폴로 11호의 성공은 내 인생을 완전히 바꿔놓았다. 그 뒤로 꽤 오랫동안 나는 전과는 전혀 다른 삶을 살았다. 전 세계에서 편지가 날아들었다. 그중엔 평범한 사람들도 있었고 한 나라의 국왕도 있었으며, 몇몇은 내가 아는 사람이었지만 대부분은 모르는 사람들이었다. 미국의 전설적인 비행사 찰스 린드버그*가 편지를 보내오기도 했는데, 그는 내가 홀로 달 궤도를 선회한 일을 자신의 대서양 단독 비행과 같은 선상에 놓을 수 있다고 했다. 만화 〈벅 로저스〉를 그린 필 놀런 작가의 자녀들도 편지를 보내왔다. 그 아이들은 펜실베이니아의 작은 마을에서 아버지에게 달 탐험 이야기를 들으며 자랐는데, 그때는 실제로 달에 다녀오기 30년 전이었다고 했다.

아프가니스탄 카불의 무선 교신 낙타 여행 동호회처럼 생소하지만 멋진 단체들이 내가 모임의 명예 회원이 되었다는 소식을 알려오기도 했다. 이런 편지를 받는 일 말고도 나와 닐과 버즈의 인생에는 다양한 변화가 찾아왔다. 사람들은 우리를 만나서 이야기를 듣고 싶어 했다. 우리는 국회의원들, 대법관, 정부 각료들이 참석한 가운데 연설을 했다. 국회의사당에서 그런 행사가 열리는 건 극히 드문 일이었다. 연설 행사를 마친 뒤 우리는 38일간 세계 24개국을 방문했다. 가는 곳마다 사람들이 열렬히 환호하며 "우리가 결국 해냈어요"라고 말했다. 인류가 마침내 다른 세계에 발을 내디뎠다는 뜻이었다. 나는 이런 상황이 꽤 놀라웠다. 다른 나라 사람들이라면 으레 "미국인들이 결국 해냈군요"라고 말할 거라고 생각했는데 "우리"라고 말했기 때문이다. 꽤 기분 좋은 일이었다.

여행에서 돌아온 뒤, 나는 우주 개발 프로그램에서 물러났다. 우주 비행사라는 직업을 그만둔다는 건 무척 힘든 결정이었지만 나름의 이유가 있었다. 첫째, 내가 계속 거기 있으면 다시 비행을 하기까지 몇 년이 걸릴 터였다. 둘째, 그렇게 되면 나는 다시 가족들과 오랫동안 떨어져서 지내야 할 테고 그러기에는 지친 상태였기 때문이다. 셋째, 아폴로 11호 비행 이후 내가 숙소 생활을 하며 오랜 시간 동안 고된 일을 견뎌낼 만큼 열정적으로 매달릴 수 있을 것 같지 않았다. 마지막으로 수없이 많은 우주 비행사들이 첫 비행을 기다리고 있었다. 일을 그만두고 나는 차츰 평범한 일상으로 되돌아왔고 우주를 비행하던 시간과 그것이 나에게 어떤 의미가 있는지 생각해볼 여유가 생겼다.

우주 저 멀리에서 바라본 지구가 얼마나 아름다웠는지 나는 결코 잊지 못한다. 지구는 푸른색과 흰색이 휘감아도는 구슬처럼 우주의 칠흑 같은 어둠을 배경으로 고요하고 평화롭게 떠 있었다. 팔을 뻗으면 엄지손가락 끝에 가릴 만큼 작은데다 무척 연약해 보여서 거인의 손이 움켜잡으면 바스라질 것만 같았다. 물론 우주에 거인의 손 같은 건 없지만 지구에는 수십억 개의 손이 맹렬히 움직이며 자신의 별을 바꾸어나가고 있다. 그 결과 지구는 좋은 쪽으로 발전하기도 하고 상황이 나빠지기도 한다. 신문과 책은 지식을 전달하지만 어쩔 수 없이 나무를 베어내야만 한다. 문명의 진보는 원치 않는 부작용을 동반하기 마련이다. 오늘날 젊은이들은 미래의 변화가 우리 행성을 파괴하는 것이 아니라 도울 수 있도록 지혜를 찾아야만 한다. 지구가 달에서 보았던 것처럼 푸른색과 흰색이 아름답고 맑게 감도는 모습으로 남기 위해서는 그래야만 한다. 지구는 실제로 약하다. 푸른색과 흰색이 검은색과 갈색으로 변하는 건 시간문제다. 강둑은 뒤뚱대는 오리를 바라보는 기분 좋은 장소일까, 아니면 기름이 끼고 타이어와 플라스틱 병 같은 쓰레기로 뒤범벅된 칙칙한 곳일까? 더 많은 사람들이 우주로 나가서 먼 발치에서 지구를 바라볼 기회를 얻는다면 지구가 당면한 문제에 관심을 불러일으키는 데 도움이 될 것이다.

사람들은 늘 호기심이 넘쳐서 새로운 장소에 가보길 원했고 갈 수 있는 곳이라면 어디든 갔다. 초기의 인류는 나고 자란 땅에서 머무는 데 만족하지 않고 새로운 영역을 개척하기 위해 나아갔다. 그러다 더는 탐험할 지역이 없어지자 고향별을 떠날 장치를 개발하기 시작했다. 처음엔 비행기, 그다음엔 로켓이었고 1969년 드디어 달 표면에 닿았다.

달을 지나 먼 우주로의 여행은 계속될 것이다.

아폴로 11호 이후로 달 착륙이 다섯 번 더 있었다. 각각의 착륙 지점은 지질학자들이 관심을 가지는 곳으로 선정되었다. 달의 구조에 관한 새로운 정보를 제공해줄 암석층이 형성된 곳이었다. 후반 세 번의 비행에서는 월면차를 싣고 갔다. 월면차는 전지를 장착해 작고 가벼워서 모래 언덕을 다니기에 적합했다. 덕분에 우주 비행사들은 착륙 지점에서 수십 킬로미터 떨어진 곳까지 탐사할 수 있었다.

달에서 가져온 돌은 대부분 녹은 용암이 식으면서 형성된 색이 짙고 매끈한 현무암이었다. 과학자들이 월석을 연구해서 달의 생성 과정을 알아냈지만 아직 궁금한 부분이 남아있다. 달 생성에 관한 가장 유명한 이론은 약 40억 년 전에 거대한 물체가 지구와 충돌하면서 생긴 잔해가 모여 달이 만들어졌다는 것이다.

아폴로 17호가 사람을 싣고 마지막으로 달에 다녀온 뒤, 우주선의 기체 일부를 지구 궤도 비행에 재사용했다. 새턴 5호 로켓의 상단부는 우주인 세 사람이 머물 수 있는 공간으로 개조되었다. 스카이랩(Skylab)이라고 불리는 이 우주정거장은 방 세 개가 딸린 집 정도의 크기로 6년 동안 지구 궤도를 선회하며 약 16억 킬로미터를 비행했다. 우주 비행사 세 사람이 스카이랩에 머물었는데 최장 체류 기록은 84일이다. 9명의 우주인이 그곳에서 여러 가지 실험을 했다. 덕분에 태양, 지구 표면, 무중력 상태에서의 인간의 신체 변화에 관한 새로운 지식을 얻었다. 아폴로 계획의 마지막 비행은 1975년에 있었다. 그때 우리 사령선이 소련의 소유즈 우주선과 랑데부에 성공했다. 미국 우주 비행사 셋과 소련 우주 비행사 두 사람이 도킹한 두 우주선을 오가며 교류한 일은 특별한 의미를 지닌다. 그 당시 소련과 미국은 정치적으로 우호적인 관계가 아니었기 때문에 이 비행은 우주 비행이라는 공통점을 가진 사람들이 이념적 차이를 넘어 서로 가까워지는 모습을 보여주었다. 두 국가의 정치 이념적 차이는 걸림돌이 되지 않았다.

1975년에서 1981년까지 거의 6년 동안 미국에서는 우주 비행이 단 한 차례도 없었다. 그러다가 나의 오랜 친구인 존 영이 밥 크리펜*과 함께 우주 왕복선이라는 새로 개발된 우주선을 타고 첫 비행에 성공했다. 우주 왕복선이라 부른 까닭은 그 우주선이 플로리다의 케이프케네디 우주센터와 지구 궤도를 왕복하도록 설계되었기 때문이다. 그보다 앞선 우주선들은 한 차례 비행만 가능하도록 설계되었고 우주 비행을 마치고 돌아오면 박물관 등에 전시되었다. 하지만 우주 왕복선은 반은 우주선이고 반은 비행기여서 반복 비행이 가능했다. 또한 궤도에 진입할 때는 로켓의 힘으로 수직으로 발사되지만 복귀할 때는 비행기처럼 날개를 이용해 활주로에 매끄럽게 착륙했다.

1986년, 50번이 넘는 비행에 성공한 우주 왕복선 챌린저호에 참사가 발생했다. 발사 약 1분 후에 고체 연료 탱크의 균열로 화재가 발생해 왕복선이 공중에서 폭발한 사건이었다. 그 사고로 왕복선에 탑승한 7명 전원이 사망했다. 그중엔 뉴햄프셔 콩코드 고등학교의 사회 교사인 크리스타 맥컬리프도 있었다. 크리스타는 우주 비행에 나선 최초의 교사로서 챌린저호에서 수업을 진행하는 모습을 방송할 예정이었다. 이 사건은 약 20년 전 거스 그리섬과 에드 화이트와 로저 채피가 목숨을 잃은 발사대 화재 사고에 이은 두 번째 우주 개발 관련 사고이자 우주 왕복선 프로그램 중 발생한 첫 번째 사고로 기록되었다. 두 사고 모두 나사와 미국은 물론 전 세계인들에게 큰 충격을 주었다. 이후 나사는 예정되었던 우주 왕복선 비행을 모두 취소하고 약 3년에 걸쳐 왕복선의 안전성 개선에 몰두했다. 그리고 2003년, 지구로 귀환하던 컬럼비아호가 폭발하면서 탑승했던 7명이 사망했다. 이 사고를 계기로 나사의 우주 왕복선 프로그램은 마무리 단계로 접어들었고, 2011년 아틀란티스호를 끝으로 우주 왕복선 시대는 막을 내렸다.

14명의 사상자를 낸 일 외에도 우주 왕복선은 운영에 엄청난 비용이 든다는 점에서 우주 개발 계획에 지대한 관심을 품은 사람들에게 실망을 안겨줬다. 그럼에도 위성을 궤도에 올려놓는 임무뿐만 아니라 고장 난 위성을 수리하거나 교체하기 위해 지구로 가져오는 데 매우 유용했다.

개인적으로 왕복선을 반복해서 사용한다는 개념 자체는 좋다고 생각한다. 우주 왕복선보다 더 다양한 임무를 수행할 수 있으며 안정성을 강화하고 비용을 낮춘 '우주 항공기'에 대한 많은 연구가 진행 중이다.

21세기에는 지구 궤도에서 훨씬 거대한 물체를 보게 될 가능성이 있다. 지구에서 수송된 작은 부품을 이어 붙여 건설한 아담한 마을이 생길지도 모른다. 우주의 마을에도 지구에서처럼 식량을 생산하고 건강을 관리하며 생필품을 만들고 여가를 즐길 시설이 들어설 것이다. 가장 큰 차이라면 이 작은 마을은 지구 궤도를 약 2시간에 한 바퀴씩 돈다는 점이다. 그중 1시간가량 태양 광선을 직접 받을 테고 이 태양빛으로 에너지를 생산해 일상생활을 해나갈 것이다. 구름은 저 아래 있을 테니 흐리거나 비가 올까봐 걱정할 필요는 없다. 태양 에너지로 전기를 생산하면 마을 전체의 온도를 유지하고 곡식을 경작하는 일이 가능하다. 태양 에너지는 무한하고 (공짜인데다가) 석탄 같은 에너지원과 달리 환경을 오염시킬 걱정이 없다.

이 지구 궤도 마을의 가장 큰 문제는 물 공급이다. 물은 일단 지구에서 공수 받은 다음 정수 과정을 거치면서 거듭 재활용해야 한다. 마을은 공기나 물이 빠져나가는 일이 없도록 우주의 진공상태로부터 완전히 밀폐되어야 한다. 물뿐만 아니라 공기도 정화시설을 거쳐 거듭 사용해야 한다. 동물과 사람은 산소를 소비하고 이산화탄소를 내뿜는 방식으로 호흡한다. 식량을 위해 재배하는 식물은 이와 정반대로 이산화탄소를 소비하고 산소를 내뿜기 때문에 전반적으로 균형을 이루게 된다.

물과 공기를 반복해 사용하는 일은 엄청나게 복잡하고 다소 비위생적으로 느껴질 수 있지만 그렇게 허무맹랑한 생각은 아니다. 그와 같은 과정은 지구에서도 실제로 반복되고 있다. 예를 들어 설거지를 하고 난 물은 개수대의 배수관을 통해 하수 시스템을 따라 흘러간 뒤 복잡한 정화 과정을 거쳐 바다에 이른다. 태양열을 받은 바닷물은 증발해 대기로 스며들어 구름을 이루고 온도가 낮아지면 비가 되어 땅으로 떨어진다. 빗물은 하천으로 흘러 저수지에 모이고 다시 수도관을 통해 싱크대로 흘러들어와 설거지를 하는 데 사용된다. 우주에서 더러운 물을 재활용하는 일은 어렵지 않다. 심지어 소변도 음용 가능한 물이 된다.

그런데 그런 마을은 지구 궤도보다는 다른 곳에 세워질 가능성이 더 크다. 사람들의 관심은 지구를 벗어나 우주 먼 곳으로 향해 있다. 이를테면 우리의 태양계에는 흥미로운 빈 공간이 몇 군데 있는데, 그 지점에서는 지구와 달과 태양의 인력이 정확히 균형을 이룬다. 그러한 지점을 칭동점(libration Point)이라고 부른다. 만약 우주정거장을 건설한다면 그 크기와 상관없이 바로 그 지점이 적당할 것이다. 그곳에 도시를 세운다면 천칭을 의미하는 리브라라는 이름이 적당하다. 리브라에 가서 산다면 무중력 상태를 즐길 수 있다.

탄소와 질소는 우리가 지구에서 살아가는 데 매우 중요한 원소다. 그러므로 리브라에서도 그 두 가지가 반드시 필요하다. 두 원소는 모든 식물과 동물에 존재한다. 탄소는 산소와 결합해 식물에게 없어서는 안 되는 이산화탄소를 만들어낸다. 질소는 우리가 숨 쉬는 공기에 존재하고 곡식을 재배하는 데 필요한 비료에도 들어간다. 안타깝게도 이 모든 것은 지구나 다른 곳을 통해 공급되어야 한다. 리브라를 전진기지로 사용하면 다른 소행성에서 탄소와 질소가 풍부한 물질을 찾아낼 수 있을지 모른다.

리브라에서의 생활은 지구에서의 생활만큼이나 흥미롭고 다양할 것이다. 먼저, 리브라인들은 자신을 지구인으로 생각하겠지만 어느 정도 시간이 흐르면 스스로 약간 다르다고 느끼기 시작할 가능성이 크다. 그때쯤이면 그들의 신체가 새로운 환경에 적응해서 실제로 차이가 생길 것이다. 리브라는 중력이 약해서 지구에서처럼 강한 근력이 필요하지 않다. 때문에 리브라에서 자라는 어린이들은 지구인들보다 몸이 마르고 (특히 다리가) 가늘 것이다. 또한 리브라에서는 지구에서처럼 극심한 일교차나 혹독한 추위와 더위를 경험할 일이 없으므로 신체 저항력도 떨어질 가능성이 크다. 리브라인들이 지구를 여행할 때 폭풍을 접한다면 무척 놀라고 불편해할 것이다. 공기의 흐름이 부드러운 리브라에서는 겪어보지 못했기 때문이다. 사실 지구의 통제되지 않은 자연 환경은 리브라인들에게 상당히 원시적으로 느껴질 수 있다. "여행하기엔 멋진 곳이지만 그곳에서 살고 싶진 않아!" 리브라인들은 이렇게 말할지도 모른다. 옻나무, 해파리, 홍역,

몇몇 세균처럼 해로운 유기체들은 리브라에서 구경조차 할 수 없을 테니 리브라인의 신체는 지구의 전염병에 훨씬 취약할 것이고, 그 때문에 지구 여행은 꽤 위험할 수 있다. 자칫 병에 걸려 목숨을 잃거나 병균을 옮겨 다른 리브라인들을 감염시킬지도 모른다. 리브라인이 지구를 여행하기 위해서는 아폴로 우주 비행사들이 우주복을 입었던 것처럼 지구의 병균으로부터 신체를 보호하기 위해 특수복을 입어야 할 수도 있다.

아폴로호의 우주 비행은 또 다른 면에서 흥미로운 선례를 남겼다. 아마 인류 역사 이래로 무기를 사용하지 않고 영역을 확장한 유일한 사례가 아닐까 한다. 이런 이유로 리브라에는 무기가 허용되지 않을 것이고 리브라인들은 지구인들이 무기를 사용해 서로 다치게 하고 죽이는 이유를 이해하기 힘들 것이다.

대신 리브라에서는 누군가에게 적대감을 느끼면 스포츠 경기나 운동으로 에너지를 분출하거나 비행을 하면서 분노를 발산할 수 있다. 리브라인의 스포츠 기구가 될 비행기는 근력으로 움직일 것이다. 지구에서도 인간의 힘을 동력으로 중력을 잠시나마 이겨내는 비행체를 발명한 사람들이 있었다. 하지만 리브라에서는 인간의 힘만으로 충분히 비행체의 고도를 유지할 수 있다. 그 비행체는 자전거와 글라이드를 합친 모양으로 자전거에 날개와 프로펠러를 단 형태일 것이다. 조종사는 페달을 밟아 프로펠러를 돌리고 손으로 고도를 유지하거나 보조 날개와 방향타를 조종한다. 조금만 연습하면 어렵지 않게 다룰 수 있어서 작은 도시의 이동수단이나 취미활동용으로 안성맞춤이다. 리브라에서의 생활은 유쾌하고 기분 좋은 일로 가득할 것이다.

혹시 달이나 화성에서 살고 싶은 마음이 있는가? 그 두 곳은 최근 나사가 주거 공간으로 계획하고 있는 장소다. 나는 우리가 방문했던 곳을 들르지 않고 바로 화성에 가는 편을 선호한다. 하지만 나보다 실력 좋은 기술자인 닐 암스트롱은 나와 생각이 달랐다. 그는 화성처럼 먼 곳에 거주지를 마련하기에 앞서 달에 주거 공간을 세우는 일이 바람직하고 반드시 디뎌야 할 작은 걸음이라고 생각했다.

달이나 화성에 주거 공간을 설계하는 일은 엄청나게 매력적인 프로젝트다. 우주 공간으로 공기가 빠져나가지 않도록 모든 생활공간은 밀폐되어야 한다. 주거 지역은 둥근 천장으로 덮여 보호되어야 한다. 태양 직사광선이 사람들에게 닿지 않도록 하기 위해서 지하에 주거 시설을 만들어야 할지도 모른다. 달의 뒷면은 지구에서는 보이지 않지만 우주를 관찰할 최적의 장소다. 지구에서 천문학자들은 전깃불과 무선 신호 등의 인공적인 공해 탓에 우주 관찰에 어려움을 겪지만 달의 뒷면에서는 어떤 간섭도 받지 않는다. 달에서 인간이 정착할 가능성이 높은 장소로 남극 주변의 분화구 내부를 꼽을 수 있다. 그곳에서는 태양이 뿜어내는 뜨거운 광선과 위험한 방사선을 피할 수 있다.

달 너머로 나아가고자 한다면 방향은 둘로 나뉜다. 태양을 향하는 방향과 태양에서 멀어지는 방향이다. 태양 쪽으로는 수성과 금성이 있는데, 두 행성 모두 사람이 살기에 적당하지 않다. 너무 뜨겁기 때문이다. 수성은 대기가 거의 없고 낮의 표면 온도가 섭씨 427도까지 올라 납을 녹일 수 있을 정도다. 금성은 아주 두꺼운 대기로 둘러싸여있지만 구성 성분이 지구와는 완전히 달라 호흡이 불가능하다. 게다가 표면 기압이 지구에서 가장 깊은 바다의 수압과 맞먹어 사람이 갔다가는 찌부러지고 만다.

아마존 창립자인 제프 베조스와 테슬라 모터스의 최고경영자이자 영화 〈아이언맨〉의 모델로 알려진 엘론 머스크는 우주 개발을 놓고 열띤 논쟁을 벌이고 있다. 머스크는 화성에 주목하고 그곳에 거주지를 설립할 계획을 세웠다. 그는 화성 이주 프로젝트로 첫 우주선에 탑승할 100명을 선발하기도 했다. 베조스는 지구의 자원 고갈과 오염 걱정 없이 생산 제조 활동이 가능한 달에 관심을 집중한다. 나는 머스크의 대담한 화성 접근 방식이 마음에 든다. 하지만 테스트 파일럿의 경험에 비추어볼 때 첫 비행에는 100명 모두 탑승하는 것보다 6명 정도가 적당하다는 생각이 든다.

베조스의 의견에도 대략 동의하는 바지만 탐사와 관련한 전반적인 계획에 있어서는 생각이 조금 다르다. 베조스는 지구가 더는 견디기 힘든 상태가 되었기 때문에 이곳을 탈출해야 한다고 주장하며 궂은일을 할 장소로 달을 이야기한다. 그는 인구 문제와 제조 산업에 있어 긍정적 변화가 없는 상황을 지구의 탓으로 돌린다. 나는 종종

화두에 오르는, 성장 없이 번영을 이뤄낼 수 있다는 말에 희망을 품는다. 한정된 자원으로도 경제 활동은 지속 가능하다. 정체된 상황을 두고 베조스는 기가 찬지 몰라도 나는 환호한다. 탐험을 향한 욕구가 우리를 '출항'하도록 만들 것이기 때문이다. 알프레드 테니슨의 시 「율리시스」의 "가자, 친구여. 새로운 세계를 찾기에는 아직 늦지 않았네"라는 구절이 이것을 아주 잘 표현하고 있다. 나는 우리가 계속해서 지구를 엉망으로 만들고 있기 때문에 이곳을 떠나야 한다고 생각하지 않는다. 대신 "정체된 상황을 기반으로 삼자"라는 문구를 차에 붙이고 다니겠다.

지구에서 태양 반대편으로 비행하면 가장 먼저 화성을 만나게 된다. 사실 어린 시절에 내가 가장 가보고 싶었던 곳은 달이 아닌 화성이었다. 모두 만화 〈벅 로저스〉 덕분이다. 그때의 관심은 지금까지 이어졌고 화성에 대한 나의 애정은 지금도 식지 않았다. 1990년에는 화성에 관한 책을 쓰기도 했다. 바로 『화성 탐사(Mission to Mars)』다. 이 '붉은 행성'으로의 여행이 최근 더 활발하게 논의되는 상황이 무척 기쁘다.

화성은 태양으로부터 평균 약 2억 3천만 킬로미터 떨어진 거리에서 타원형의 궤도를 돈다. 화성보다 태양에 가까운 궤도를 도는 지구는 태양과 평균 약 1억 5천만 킬로미터 떨어져 있다.

지구와 화성의 태양 공전 궤도는 겹치는 부분이 없다. 두 행성이 가장 가까울 때의 거리는 약 8천만 킬로미터(2억 3천만-1억 5천만)

이고 가장 멀리 떨어져 있을 때의 거리는 3억 8천만 킬로미터(2억 3천만+1억 5천만)다.

지구와 화성의 궤도는 완벽한 원형이라기보다는 약간 타원형에 서로 조금씩 기울어져 있기 때문에 이 수치가 정확한 것은 아니다. 실제로 약 12년마다 지구와 화성은 5천 600만 킬로미터까지 근접한다. 지구에서 화성까지 비행할 때 현재 보이는 화성을 향해 출발한다면 절대 화성에 도착할 수 없다. 지구를 출발한 우주선이 화성과 만날 지점을 계산해 그곳을 향해야 한다. 아폴로 우주선이 달에 갈 때도 계산된 위치에 존재하는 가상의 달을 향해 출발했다. 하지만 그때는 3일 뒤면 달이 지나갈 예정이었다. 화성의 경우에는 장장 9개월 동안 약 7억 4천만 킬로미터를 곡선으로 비행해야 한다. 그 상황을 그림으로 나타내면 다음과 같다.

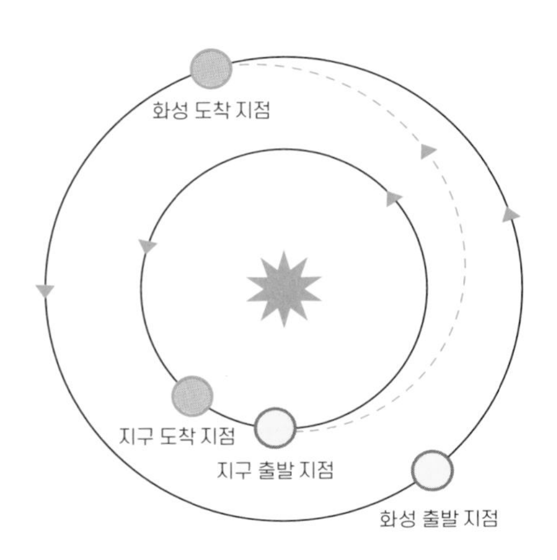

그림의 점선은 7억 4천만 킬로미터의 비행 경로를 나타낸다. 좀 더 짧은 경로로 비행하면 시간은 덜 걸리겠지만 연료는 더 많이 든다. 우주선이 화성에 도착하면 지구로부터 약 3억 2천만 킬로미터 멀어지는 셈이다. 빛의 속도로 이동하는 무선 신호가 전달되는 데만도 20분가량 걸리는 거리다. 즉, 화성에 도착한 우주인이 지구에 어떤 내용을 전달하고 그 답을 듣는 데에 최소 40분 정도가 걸린다는 뜻이다. 특히 분 단위로 상황이 급변하는 착륙 상황에서는 지구에 있는 관제센터의 도움을 받는 일이 불가능하다. 그렇기 때문에 화성 우주 비행사는 대부분의 문제를 스스로 해결해야 한다.

화성 착륙에 성공한 우주인은 무엇을 발견하게 될까? 누구도 확답할 수 없고, 그것이 우리가 화성을 탐사하려는 이유이기도 하다. 화성은 수세기 동안 인간의 마음을 사로잡았고 인간은 화성을 두고 갖가지 상상을 해왔다. 초기 천문학자들이 붉은 행성이라고 부른 이 별은 실제로 짙은 오렌지색을 띠고 있다. 화성의 반경은 지구의 절반 정도로 사막과 비슷한 표면은 거대한 산과 깊은 계곡으로 이루어져 있다. 올림푸스 몬스(Olympus Mons)라고 이름 붙인 화산은 높이가 24킬로미터에 너비는 500킬로미터나 된다. 발레스 마리네리스(Valles Marineris)라는 대협곡은 깊이가 6킬로미터로 그랜드캐니언의 3배가 넘는다.

밤과 낮의 길이는 지구와 유사한데, 공전 주기가 지구의 2배가 조금 넘기 때문에 각 계절도 지구의 2배 정도 지속된다. 밤에는 표면 온도가 영하 60도까지 내려가지만 정오에 적도 부근은 인간이 충분히 견딜 수 있는 18도까지 올라간다. 화성에도 대기가 있다. 하지만 그 층이 매우 엷은데다 대부분이 이산화탄소로 이루어져서 화성에 착륙한 우주인은 달에서와 마찬가지로 산소 공급 장치를 이용해 호흡해야 한다. 화성의 표면에는 매우 강한 바람이 자주 관찰된다. 가끔은 행성 전체가 강한 먼지바람에 뒤덮이기도 한다. 하지만 대기가 엷기 때문에 우주인이 바람에 날아갈까봐 걱정할 필요는 없다. 화성에서는 맹렬한 태풍이라고 해봐야 지구의 산들바람 정도에 지나지 않는다. 화성은 지구보다 작기 때문에 중력 또한 지구의 3분의 1에 불과하다. 오래 머물 경우, 중력이 아예 없는 것보다 약하게라도 있는 편이 좋다. 우주정거장에서 실시한 연구에 따르면 무중력 상태에 오래 방치되면 골밀도가 감소해 뼈가 약해지고 안구에 문제가 생길 수도 있다.

보통 체격의 우주인이 화성에 간다면 남성의 몸무게는 30킬로그램, 여성은 20킬로그램 정도밖에 나가지 않는다. 여성 우주 비행사만으로 이루어진 팀에 관해 논의해봐도 좋을 것이다. 몸무게가 가벼우면 우주선의 발사와 비행에 필요한 연료가 줄어드는 것은 물론이고 비행 중에 필요한 식량과 식수와 산소 또한 상대적으로 덩치가 큰 남성 우주인들보다 적기 때문에 우주선 전체의 중량을 줄일 수 있다.

물론 화성 탐사에서 풀고자 하는 가장 큰 궁금증은 생명체의 존재 유무다. 우리가 지구에서 보는 동물은 아니더라도 화성에 생명체가 존재할 가능성은 상당히 높다. 아직 화성 표면에서 물이 발견되지는 않았지만 과거에는 물이 존재했다는 증거가 있기 때문에 지하 어딘가에 수분이 고여있다는 예측이 가능하다. 그러므로 과거 어느 때에는 생명체가 존재했을 수 있고 그 생명체가 현재까지도 원시적인 형태로나마 지표면 아래 어딘가에 살아있을지도 모른다. 지구에서도 일부 생명체는 최악의 조건 속에서 장기간 생존할 수 있다. 동물의 알이 몇 년 지나서 부화하거나 100년도 더 묵은 씨앗이 발아하는 경우도 있다. 이러한 휴면 상태의 생명체가 화성에도 존재할지 모른다. 또 하나의 가능성은 화성의 암석 중에 남아있을지도 모를 멸종된 생명체의 화석이다. 그러한 것이 실제로 존재한다면 그것을 눈으로 직접 확인하는 일은 상상만으로도 흥분이 된다. 그러한 것들을 직접 확인할 수만 있다면 나는 내 인생 중 18개월을 기꺼이 바치고 싶다.

화성은 의심할 여지없이 우주 개발을 시작할 최고의 장소다. 인류는 화성 탐사를 눈앞에 두고 있다. 화성 너머에는 소행성대가 자리잡았고 그다음에는 외행성이 있다. 목성은 태양계에서 가장 큰 행성으로 가스로 이루어져 있고 69개의 위성이 그 주변을 돌고 있다. 토성은 신비롭고 복잡한 띠를 둘렀고 천왕성은 청록 빛을 띠고 있으며 해왕성은 트리톤이라는 거대한 위성이 주위를 돈다. 명왕성은 발견 당시에는 태양계의 아홉 번째 행성이었으나 2006년부터 왜소행성으로 분류되었다. 다른 행성들과는 다른 각도로 기울어진 궤도를 돈다.

타이탄은 토성의 61개 위성 중 하나로 지구와 거의 같은 두께의 대기로 둘러싸여 있다. 내부에는 고온의 핵이 있고 표면은 얼음으로 덮여있을 것이라고 예상된다. 그것이 사실이라면 타이탄의 지표 아래에는 다양한 온도층으로 이루어진 바다가 존재할 가능성이 크고 거기에는 지구의 심해에 서식하는 것과 비슷한 종류의 생명체가 살고 있을지도 모른다. 또 다른 목적지로 토성의 위성인 엔셀라두스를 꼽는데, 그곳에도 액체로 된 바다가 있을 것으로 예상된다. 타이탄이나 엔셀라두스가 우리를 깜짝 놀라게 할 무언가를 숨기고 있을지 누가 알겠는가?

우주 전체를 모래사장에 비유한다면 태양계는 모래알갱이 하나에 지나지 않는다. 우리 은하계에서 태양은 단지 작은 점 하나에 불과하고 우리 은하 역시 수없이 많은 은하계 중 하나일 뿐이다. 그 많은 은하와 그에 속한 수많은 별들을 생각해볼 때 우주에 존재하는 행성의 수는 우리가 상상 가능한 숫자를 넘어설 것이다. 그 행성 대부분이 인류가 살아가기에 적합하지 않다고 가정하더라도 그 '대부분'을 제외한 나머지 숫자 역시 상상을 초월한다. 과학자들은 전체 우주에서 '적어도' 1,000,000,000,000개의 행성이 우리와 같은 생명체가 살아가기에 적합하리라고 믿는다.

이것이 사실이라면 (마크 트웨인의 소설 『스톰필드 선장의 천국방문기』에서는 '사마귀' 행성이라고 부르는) 작은 땅콩만 한 우리 행성에만 지적인 생명체가 존재한다는 주장이 과연 합당할까? 나는 아니라고 생각한다. 우리 행성이 나머지 999,999,999,999개의 행성보다 나은 곳이라는 생각은 '사마귀' 행성인의 헛된 자만심에 불과하다. 오히려 우리가 그중에서 평균적인 수준일 거라 가정하는 편이 훨씬 합당하다. 물론 그렇다 한들 우주 어딘가에 존재할 월등한 문명을 이룬 행성에 비한다면 우리는 바보 신세를 면치 못할 테지만 말이다. '사마귀' 행성에서 가장 총명한 생명체로 꼽히는 알베르트 아인슈타인이 만든 상대성 이론에 따르면 어떤 물체도 빛보다 빠른 속도로 움직일 수 없다. 아직까지는 이 이론을 뒤집을 증거를 제시한 이가 없는데, 만약 상대성 이론이 옳다면 지적 능력을 가진 생명체가 존재하는 다른 행성을 방문하는 일은 거의 불가능에 가깝다. 지구에서 가장 가까운 별인 알파 센타우리만 하더라도 4광년 이상 떨어져 있다. 그 말은 그 별까지 다녀오는 내내 빛의 속도를 유지하더라도 8년 이상이 걸린다는 뜻이다. 물론 우리는 빛의 속도는커녕 그 10분의 1의 속도도 내지 못한다. 태양계 밖의 천체에 가보고자 하는 사람이 있다면 가는 길에 수명이 다해서 그 자손이라도 목적지에 안전하게 도착하길 바라며 눈을 감게 되리라는 사실을 출발하기 전에 반드시 알아둘 필요가 있다.

이런 이야기가 허무맹랑하게 들릴지 모르지만 나는 그렇게 생각하지 않는다. 많은 사람들, 특히 젊은이들이 그런 비행에 자원할 거라고 믿는다. 우주 여객선은 규모가 커야 하고 매우 편안해야 한다. 승무원의 수도 엄청나게 많을 테니 흥미로운 사람들과 만날 가능성도 크다. 예전부터 사람들은 지구를 우주선이라고 부르기도 했다.

그렇게 보면 지구는 바깥쪽에 우주 여객선은 안쪽에 승객이 머문다는 사실이 둘의 가장 큰 차이점일 것이다. 우주 여객선은 지구에 비해 크기도 작고 불편한 면이 있지만 이를 보완할 특별한 경험을 제공한다. 태양 주위를 365일 하고도 6시간 걸려 한 번씩 회전하는 단조로운 궤도에서 벗어나지 못하는 지구와는 달리, 우주 여객선의 창밖으로는 매순간 조금씩 달라지는, 전에 본 적 없는 새로운 장면이 연출될 것이다.

과연 인류가 이런 경험을 하게 될까? 리브라를 건설하고 다시 한 번 달에 가고 화성에 정착하고 타이탄이나 엔셀라두스에 착륙하고 그 너머의 우주를 탐험하는 일이 가능할까? 나는 그에 대한 답을 찾지 못했다. 그러나 분명히 말할 수 있는 것은 내가 태어난 시대에는 절대 불가능하리라고 생각했던 일들을 나의 짧은 생애에 경험했다는 사실이다. 다음 세대(그리고 그 이후 세대)도 나와 같은 일을 경험하길 기대한다. 인류 문명의 발전 속도는 더욱 빨라지고 있다. 라이트 형제가 인류 최초로 비행기를 하늘에 띄운 이래로 닐 암스트롱이 달 표면에 발자국을 남기기까지 단 66년이 걸렸다는 사실을 떠올리길 바란다.

나는 지구 위 수백 킬로미터 상공에서 얇은 줄 하나에 몸을 맡기고 매달린 경험이 있다. 또한 지구의 위성인 달 뒤편의 어두운 공허 속에 짧게나마 머무는 특권을 누렸다. 이 책을 읽는 여러분 중 누군가도 그런 특권을 누리고 그 이상을 경험하길 바라며 또 분명 그렇게 되리라고 믿는다. 여러분의 생애에 분명히 가능한 일이다. 만약 우주여행을 결심했다면 작은 마을에서 한밤중 내내 돌아가는 커다란 디젤 엔진 소리를 들으며 우주선 탑승을 꿈꾸는 어린아이의 마음을 갖길 바란다.

1969년 7월 20일

시라노 드 베르주라크(Hector Savinien de Cyrano de Bergerac, 1619~1655) : 극작가이자 결투사. 『달나라 여행기』, 『해나라 여행기』 등 공상 과학 소설의 선구적인 작품을 남겼다.

쥘 베른(Jules Gabriel Verne, 1828~1905) : 과학 소설이라는 장르를 개척한 소설가. 『달나라 일주』, 『80일간의 세계 일주』 등을 썼다.

꿈을 향한 첫 관문, 파일럿 학교

데크 슬레이턴(Donald Kent Deke Slayton, 1924~1993) : 머큐리 계획에 참여한 최초 7명의 우주인 중 한 명. 심장 이상으로 한동안 비행에 참여하지 못하고 우주인의 업무 분장을 담당하다가 1975년 아폴로와 소련의 소유즈 우주선과의 도킹 비행에 참여했다.

앨런 셰퍼드(Alan Bartlett Shepard, Jr., 1923~1998) : 머큐리 계획에 참여한 최초 7명의 우주인 중 한 명. 미국 최초의 유인 우주선인 프리덤 7호에 탑승했으며 아폴로 15호의 기장으로 다섯 번째 달 착륙 우주인이 되었다.

● 하늘의 별만큼이나 많은 예측 불가능한 상황들

허칭스 고다드(Robert Hutchings Goddard, 1882~1945) : 26세에 물리학 박사학위를 받은 이후 로켓 제작에 몰두해 1935년에는 로켓의 속도를 시속 880킬로미터까지 향상시켰다. 그의 이론과 실험은 생전에는 인정을 받지 못하다가 사후에 업적이 재평가되어 '로켓의 아버지'로 불리고 있다.

헤르만 오베르트(Hermann Julius Oberth, 1894~1989) : 독일의 로켓 공학자. 뮌헨 대학에서 약학을 공부하던 중 1차 세계대전 참전을 계기로 로켓 연구를 시작했다. 치올콥스키, 고다드와 함께 로켓 연구의 선구자로 불린다.

존 글렌(John Herschel Glenn Jr., 1921~2016) : 1998년 77세의 나이로 우주왕복선 디스커버리호에 승선해 최고령 우주인으로 기록되었다.

스콧 카펜터(Malcolm Scott Carpenter, 1925~2013) : 머큐리 비행 이후에는 나사와 해군을 오갔다. 해양 연구를 위해 28일간 해저에서 지내기도 했다.

월리 시라(Walter Marty Wally Schirra Jr., 1923~2007) : 머큐리, 제미니, 아폴로 계획에 모두 참여한 유일한 우주인이다.

고든 쿠퍼(Leroy Gordon Cooper Jr., 1927~2004) : 최초로 우주 궤도에서 수면을 취한 미국인이자 마지막 단독 비행 우주인으로 기록되었다.

● 14명의 신참 우주인, 지금은 임무 수행 중

버즈 올드린(Buzz Aldrin, 1930~) : 제미니 12호에 부기장, 아폴로 11호에 착륙선 조종사로 탑승해 닐 암스트롱과 함께 인류 최초로 달에 착륙했다. 한국전 참전 경험이 있다.

빌 앤더스(William Bill Anders, 1933~) : 아폴로 8호에 착륙선 조종사로 탑승해 인류 최초로 지구 궤도를 벗어났으며 아폴로 11호의 예비 조종사 임무를 수행했다.

찰리 바셋(Charlie Bassett, 1931~1966) : 제미니 9호에 엘리엇과 탑승할 예정이었으나, 엘리엇이 조종하던 제트기의 추락으로 함께 숨졌다.

앨 빈(Alan LaVern Bean, 1932~2018) : 아폴로 12호에 착륙선 조종사로 탑승해 네 번째로 달에 착륙한 우주인이 되었다. 스카이랩 3호의 선장을 맡기도 했다. 퇴역 후에는 화가로 활동했다.

유진 서난(Eugene Andrew Cernan, 1934~) : 제미니 9호의 부기장, 아폴로 10호의 착륙선 조종사, 아폴로 17호의 선장으로 탑승했다. 제미니 12호, 아폴로 7호, 14호의 예비 승무원이기도 했다.

로저 채피(Roger Bruce Chaffee, 1935~1967) : 아폴로 1호에 탑승할 예정이었으나 이륙 테스트 중 화재로 다른 승무원들과 함께 숨졌다.

월트 커닝엄(Ronnie Walter Walt Cunningham, 1932~) : 아폴로 7호에 착륙선 조종사로 탑승했다.

돈 에슬레(Donn Fulton Eisele, 1930~1987) : 아폴로 7호에 사령선 조종사로 탑승했다. 아폴로 10호의 예비 승무원이기도 했다. 심장마비로 사망했다.

테드 프리먼(Theodore Cordy Freeman, 1930~1964) : 제트기 탑승 중 오리가 엔진 속으로 빨려 들어가 발생한 폭발사고로 사망했다.

딕 고든(Richard Francis Gordon, Jr., 1929~2017) : 제미니 11호에는 부기장으로, 아폴로 12호에는 사령선 조종사로 탑승했다. 제미니 8호와 아폴로 9호의 예비 승무원이기도 했다.

러스티 슈바이카르트(Russell Louis Rusty Schweickart, 1935~) : 아폴로 9호에 착륙선 조종사로 탑승했다.

데이비드 스콧(David Randolph Scott, 1932~) : 제미니 8호에는 부기장, 아폴로 9호에는 사령선 조종사, 아폴로 15호에는 선장으로 탑승했다. 불법은 아니지만 우주 비행에 우표를 가지고 간 일명 우표 스캔들로 이후의 우주선 탑승이 금지되었다.

C. C. 윌리엄스(C. C. Williams, 1932~1967) : 제미니 10호의 예비 승무원과 아폴로 12호의 착륙선 조종사로 예정되었으나 제트기 고장으로 인한 사고로 사망했다.

● 우주에서 돌발 상황이 일어난다면

짐 러벨(James Jim Arthur Lovell, Jr., 1928~) : 달 궤도에서의 사고에도 불구하고 구사일생으로 귀환한 아폴로 13호의 선장으로 유명하다. 그 외에도 제미니 7호, 제미니 12호, 아폴로 8호에 탑승했다.

에드 화이트(Edward Higgins White, 1930~1967) : 제미니 4호에 탑승해 미국인 최초로 우주 유영에 성공했다. 아폴로 1호에 탑승할 예정이었으나 이륙 테스트 중의 화재로 다른 승무원들과 함께 숨졌다.

존 영(John Watts Young, 1930~2018) : 제미니, 아폴로, 우주 왕복선 계획에 모두 참여한 유일한 우주인이다. 또한 제미니 3호, 10호, 아폴로 10호, 16호, 우주 왕복선인 컬럼비아호, 챌린저호 등 모두 6회에 걸쳐 우주를 비행한 유일한 우주인이기도 하다.

● 황홀한 우주 유영을 꿈꾸며

거스 그리섬(Virgil Ivan Gus Grissom, 1926~1967) : 머큐리 리버티 벨 7호, 제미니 3호에 탑승했다. 아폴로 1호에 탑승할 예정이었으나 이륙 테스트 중 화재로 다른 승무원들과 함께 숨졌다.

● 최초의 유인 우주선 아폴로 7호, 하늘로 날아오르다

톰 스태퍼드(Thomas Patten Stafford, 1930~) : 1962년에 제2그룹의 우주인으로 선발되었다. 제미니 6호에 탑승해 최초로 우주에서의 조우에 성공했다. 제미니 9호, 아폴로 10호에 탑승했고 이후 아폴로-소유즈 도킹 비행에도 참여했다. 퇴역 후에는 나사의 우주 개발 로드맵 작성을 주도했다.

찰스 린드버그(Charles Augustus Lindbergh, 1902~1974) : 미국의 비행기 조종사. 1927년 세계 최초로 대서양 단독 횡단 비행에 성공했다.

밥 크리펜(Robert Laurel Crippen, 1937~) : 1969년에 우주인으로 발탁되어 최초의 우주 왕복선 비행을 포함해 모두 4차례의 비행에 합류했다.